W9-AGT-648

Classiques Larousse

Collection fondée par Félix Guirand, agrégé des lettres

Racine

Andromaque

tragédie

Édition présentée, annotée et commentée
par
ALAIN VIALA
ancien élève de l'École normale supérieure
docteur ès lettres

LAROUSSE

© Larousse 1990.
ISSN 0297-4479.
ISBN 2-03-871400-2.

Sommaire

L'extraordinaire réussite d'un écrivain

Racine a fait une carrière tout à fait exceptionnelle, unique dans l'histoire de la littérature : fils d'un obscur petit-bourgeois ruiné, orphelin très tôt, il a fini sa vie en grand seigneur de la cour de Louis XIV à Versailles. Et cela, grâce aux grands succès remportés par son œuvre littéraire. Il est donc important de bien comprendre comment il a su obtenir de tels succès en adaptant les grands mythes de notre culture à la mentalité de son époque.

Une enfance difficile

Racine est né en 1639 à La Ferté-Milon (au nord de Meaux). Son père était un petit employé des impôts. Sa mère meurt en 1641, son père en 1643, ne laissant que des dettes. L'enfant est recueilli par ses grands-parents paternels, petits-bourgeois, pas très riches mais très pieux. En 1649, le grand-père meurt à son tour ; la grand-mère se retire au couvent de Port-Royal, près de Paris. Le petit Racine n'a plus personne pour subvenir à ses besoins.

Une éducation hors pair chez les jansénistes

Le couvent de Port-Royal était « janséniste » : on nommait ainsi un petit groupe de catholiques très

La maison où naquit probablement Jean Racine à La Ferté-Milon.
Dessin anonyme (détail), 1795. B.N., cabinet des Estampes, Paris.

austères, mal vus du gouvernement et des autorités de
l'Église. Près du couvent, quelques hommes d'opinions
jansénistes vivaient retirés : on les appelait les
« solitaires ». Ils avaient fondé une école, où ils
pratiquaient une pédagogie très moderne pour l'époque.
Plusieurs d'entre eux étaient parmi les plus grands
savants de leur temps. Ils prirent Racine comme élève,
par charité. Il reçut, ainsi, une instruction très poussée,
en français, latin et grec.

En 1656-1658, une crise éclata : Blaise Pascal, lui-
même janséniste, avait publié de violentes critiques
contre l'ordre des Jésuites, qui obtint que le gouvernement fasse fermer l'école de Port-Royal. On renvoya
les élèves chez eux. Racine, qui n'avait plus de famille
dans laquelle aller, fut gardé à Port-Royal, où on lui

Abbaye de Port-Royal des Champs.
Gravure anonyme du XVIIᵉ siècle. B.N., cabinet des Estampes, Paris.

donna des sortes de « cours particuliers ». Pour remercier les « solitaires », il écrivit, dans ses premiers poèmes, des descriptions de Port-Royal.

Ensuite, on l'envoya faire sa « philosophie » (c'est-à-dire à peu près sa classe de terminale) à Paris. Les « solitaires » voulaient qu'il devienne avocat ou théologien.

Les débuts littéraires : la galanterie

Mais le jeune Racine qui découvre Paris se sent attiré par la vie mondaine. Il fréquente un petit salon littéraire, chez de lointains parents. Il y rencontre La Fontaine,

6

et devient son ami. Ce petit monde lui fait découvrir le « goût galant » qui est alors à la mode dans la bonne société parisienne. « Galanterie » ne signifie pas art de séduire les femmes en français classique (français du XVIIᵉ siècle), mais : avoir de belles manières, un langage recherché, de l'esprit. Racine adopte cette attitude.

Un de ses oncles, qui voudrait le « caser » comme prêtre, le fait venir à Uzès, dans le sud de la France. Mais, après ce séjour dans le Midi, Racine rentre à Paris sans être devenu ecclésiastique ; ce qui l'intéresse, en fait, c'est le milieu littéraire, où, grâce à ses amis, il a déjà quelques relations. Il commence à se faire connaître en écrivant des poèmes à la louange de Louis XIV.

Une gloire foudroyante

Dès ses débuts, Racine avait tenté d'écrire pour le théâtre : ce genre, qui était en vogue, permettait de gagner vite argent et célébrité. Mais aucune troupe n'avait voulu jouer les deux premières pièces qu'il avait composées. En 1664, Molière, déjà en pleine gloire, accepte de monter la première tragédie de Racine : *la Thébaïde ou les Frères ennemis*. Elle ne fait pas un grand succès, mais, du moins, il a désormais une place dans le métier d'écrivain.

Il se fait ensuite un nom par deux publications qui suscitent un scandale. En 1665, il compose *Alexandre le Grand,* une tragédie. Idée astucieuse : on comparait Louis XIV à Alexandre (356-323 av. J.-C.), le plus grand conquérant de tous les temps. La troupe de Molière commence à jouer la pièce ; mais Racine est allé, en secret, passer un contrat avec la grande troupe concurrente, les comédiens de l'Hôtel de Bourgogne, qui la jouent à leur tour... Grand tapage dans le Paris cultivé ! Dans la foulée, il écrit des pamphlets (brefs écrits polémiques) contre ses anciens maîtres jansénistes, qui jugeaient que le théâtre est immoral : autre scandale.

Mais Racine est désormais connu, il a du succès. On le compare à Corneille, jusque-là le plus illustre dramaturge. *Andromaque*, présentée pour la première fois en 1667, connaît un triomphe. Et, en quelques années, la carrière de Racine en fait un écrivain vedette. En même temps, il bénéficie du mécénat du roi, et il est nommé à l'Académie française en 1673 (à 33 ans).

Sa vie privée, en revanche, reste assez discrète. Il est l'amant des actrices célèbres qui créent les grands rôles de ses pièces, il est reçu à la cour. Mais il consacre l'essentiel de son énergie à son métier d'écrivain.

Le sommet de la réussite : l'écrivain de cour

En 1677, après sa tragédie de *Phèdre* qui a provoqué, une fois de plus, du tapage et des polémiques, Racine est nommé, avec Boileau, historien personnel de Louis XIV : pour un écrivain de cette époque, employer son talent à faire l'histoire du roi — et donc de la propagande pour la gloire du régime —, c'est la suprême consécration. Racine, désormais, est un personnage à la cour du « Roi-Soleil » (qui s'installe à Versailles en 1682). En même temps, il change de mode de vie : il se marie (il aura 7 enfants), il devient dévot, comme

Racine faisant la lecture à Louis XIV. Gravure
de Charon (né en 1783) d'après Bouchot. B.N., Paris.
Cette représentation idéalise les relations de Racine et du roi.
À l'époque en effet, l'usage du fauteuil était réservé au souverain.
Lorsque Racine faisait la lecture à Louis XIV, il était sans doute
debout ou sur un tabouret, et le roi, couché sur son lit.

Louis XIV et toute sa cour qui ont abandonné la « galanterie ». Il compose, par ordre royal, deux tragédies religieuses : *Esther* (1689) et *Athalie* (1691).

Son ascension sociale atteint des sommets. En 1690, il accède à une charge de « gentilhomme du Roi », qui l'anoblit, et, en 1696, à une charge de « conseiller-secrétaire du Roi ». Et Louis XIV lui a également alloué une « pension », qui augmente peu à peu.

Cependant, en vieillissant, Racine s'est tourné à nouveau vers les jansénistes. Il ne publie que de courts fragments de l'histoire du roi (le reste de ses manuscrits s'est d'ailleurs perdu), mais il compose en secret un *Abrégé de l'histoire de Port-Royal* et essaye d'aider les jansénistes, toujours persécutés. Par son testament, il demande à être enterré à Port-Royal, « aux pieds » de ses anciens professeurs.

Ce qui sera fait à sa mort, le 2 avril 1699.

Un professionnel
de la création théâtrale

Si l'œuvre théâtrale de Racine ne semble pas très abondante, avec ses douze pièces, là où Corneille et Molière en ont écrit plus de trente, il a été, autant que ces derniers, un véritable auteur professionnel de théâtre.

Le sens du public

Désireux de se faire un nom, une position sociale et une fortune grâce à ses œuvres, Racine est attentif aux goûts du public, et aux moyens esthétiques qui peuvent le satisfaire. Ce public, d'ailleurs, n'est pas homogène. On peut y distinguer trois groupes d'auditeurs : les gentilshommes de la cour, les « spécialistes » (savants, écrivains, critiques), et les « honnêtes gens », nobles et bons bourgeois de Paris, à la fois raisonnablement cultivés et curieux de suivre la mode (les gens du petit peuple, c'est-à-dire la très grande majorité, étaient alors exclus de la vie intellectuelle). Par l'éducation très poussée qu'il a reçue, Racine appartient plutôt au monde des « spécialistes ». Mais il sait que les grands succès se gagnent auprès des courtisans et des honnêtes gens : c'est donc à eux qu'il s'adresse principalement ; ce sont leurs goûts et leurs façons de concevoir la littérature qu'il tâche de satisfaire.

Dans les salons, à la cour, il prête attention aux

Fêtes à Versailles, bal donné dans le Petit Parc. Sur cette gravure du XVIIe siècle, on voit, au centre, le roi et la reine et, autour d'eux, les courtisans qui constituaient une partie du public de Racine.

conversations et aux attitudes inspirées par la mode de la galanterie, qui domine dans les années 1660-1670. Ses œuvres forment un alliage entre cette mode, ce langage, et la solide instruction qui est la sienne. Il a beaucoup lu les auteurs latins, qui faisaient alors la base de l'enseignement. Cela lui permet de se trouver en harmonie avec la culture de son public. Mais il a en plus une très bonne connaissance de la littérature grecque : cela lui permet d'ajouter, en évoquant les grands mythes antiques, des images symboliques qui enrichissent le sens et sollicitent la rêverie.

Racine a été polygraphe, c'est-à-dire qu'il a pratiqué divers genres : poésie, pamphlet, tragédie, comédie, histoire... Dans tous ces domaines, il a montré du talent, et il aurait pu réussir dans chacun. Il s'est spécialisé dans la tragédie parce que le théâtre était en vogue, que le genre tragique était prestigieux et convenait bien à sa culture.

Cela l'a amené à faire concurrence à Corneille, l'auteur tragique le plus célèbre alors. Et la plupart des savants et des critiques ont d'abord pris parti en faveur de Corneille. La comparaison entre ces deux dramaturges est devenue un lieu commun à cette époque et l'est restée depuis. Comme Corneille a cessé d'écrire à partir de 1674, Racine a fini par être considéré comme le maître du genre tragique, y compris par les « savants ».

Une écriture élaborée

La méthode de travail de Racine est très liée à l'attention qu'il porte à son public. Une fois qu'il a choisi son sujet, en essayant de sentir ce qui plairait au goût du temps, il fait, en prose, un premier canevas de sa pièce. Puis il en discute avec les comédiens, avec des amis écrivains, en particulier avec Boileau, pour voir si l'ensemble produit une impression favorable. Ensuite, il passe à la rédaction versifiée.

Celle-ci n'est pourtant pas tout de suite définitive. Racine a soin de « tester » ses ouvrages. Il dit ses vers à haute voix pour lui-même, fait des essais avec les comédiens, lit des extraits dans les salons mondains. Au fur et à mesure, il corrige, il ajuste, il affine. La richesse de sa culture lui permet d'employer souvent des tournures et des images tirées des auteurs anciens, en les adaptant au langage à la mode, et d'associer les expressions héroïques et les métaphores galantes.

13

Le soin du jeu théâtral

Dans une tragédie, à l'époque classique, les actions proprement dites ne devaient pas être montrées sur scène : les combats, duels, assassinats, suicides étaient censés se passer en coulisse, et des personnages venaient en faire le récit devant les spectateurs. Les « bienséances » (voir p. 224) interdisaient de montrer du sang et des batailles ; elles toléraient tout au plus de représenter des crises de folie. Aussi l'action des pièces consistait-elle en paroles, en discours et débats, à travers lesquels les pensées et les sentiments des personnages évoluaient jusqu'aux décisions finales.

Racine a eu grand soin de cette parole théâtrale. À Port-Royal, il avait eu pour professeurs les meilleurs spécialistes de la rhétorique et de l'art oratoire. L'un d'eux en particulier, Antoine Le Maître, avait été l'avocat le plus célèbre de son temps, réputé pour sa façon brillante de prononcer ses discours. Il avait enseigné à Racine l'art de l'effet vocal. Racine, à son tour, l'enseignait à ses acteurs et actrices. Il leur montrait comment créer des contrastes entre une diction d'ensemble assez lente et mélodieuse et des changements de tonalité ou de rythme, pour marquer les émotions. Il faisait donc un véritable travail de metteur en scène.

Il avait aussi appris, en collaborant avec Molière lors de ses toutes premières pièces, l'importance du spectacle, de l'utilisation de l'espace scénique. C'est ainsi qu'il introduit dans ses tragédies (il le fera bien davantage, évidemment, dans sa comédie des *Plaideurs*) des scènes qui jouent sur cette utilisation de l'espace : l'exemple le plus flagrant est à la scène 6 de l'acte III (voir p. 110) où Andromaque et Pyrrhus, parlant chacun à leur confident, font semblant de ne pas entendre ce que dit l'autre.

Racine avait ainsi le soin de mettre à profit toutes les ressources du théâtre, de diriger ses comédiens, de faire une vraie recherche de mise en scène. Pour bien apprécier son théâtre, il faut, en le lisant, avoir présent à l'esprit que c'est une œuvre qui vit sur scène.

Racine

élève
de Port-Royal

1639   1649   1659   1

La Bruyère (1645-1696)

Boileau (1636-1711)

Charles Perrault (1628-1703)

Pascal (1623-1662)

Molière (1622-1673)

La Fontaine (1621-1695)

Corneille (1606-1684)

règne de Louis XIII (1617-1643)	régence d'Anne d'Autriche et de Mazarin (1643-1661)

1648-1653 : la Fronde

1664 : persécutions contre Port-Royal

la gloire
au théâtre   l'homme de cour
1677   1699

règne personnel de Louis XIV
(1661-1715)

1682 : la cour s'installe
au château de Versailles

17

Une œuvre qui vit

Les diverses pièces de Racine ont connu du succès durant sa carrière :
— la *Thébaïde ou les Frères ennemis* (tragédie), 1664 ;
— *Alexandre le Grand* (tragédie), 1665 ;
— *Andromaque* (tragédie), 1667 ;
— *les Plaideurs* (comédie), 1668 ;
— *Britannicus* (tragédie), 1669 ;
— *Bérénice* (tragédie), 1670 ;
— *Bajazet* (tragédie), 1672 ;
— *Mithridate* (tragédie), 1673 ;
— *Iphigénie* (tragédie), 1674 ;
— *Phèdre* (tragédie), 1677 ;
— *Esther* (tragédie biblique), 1689 ;
— *Athalie* (tragédie biblique), 1691.

Certaines ont été de vrais triomphes au moment de leur création (en particulier *Andromaque* et *Iphigénie*). D'autres, où Racine tentait davantage de satisfaire les « savants », ont eu des débuts plus laborieux *(Britannicus, Phèdre)*. Mais toutes ont été reprises et rééditées de son vivant. Et, depuis, elles ont attiré nombre de mises en scène, de travaux de critique et d'interprétation dans le monde entier. Même les moins connues ont été à nouveau jouées dans des théâtres français ces dernières années.

Andromaque : tragédie et galanterie

Une tragédie violente

Selon les théories classiques, inspirées du philosophe grec Aristote (384 - 322 av. J.-C.), la tragédie doit avoir pour but la *catharsis*, c'est-à-dire qu'elle doit éveiller chez les spectateurs des sentiments violents de terreur devant les situations cruelles qu'elle montre, et de pitié, pour ceux qui en sont les victimes. De la sorte, les spectateurs auront, après ces émotions, des attitudes plus modérées envers ces sentiments. La littérature était ainsi envisagée comme un moyen d'éducation morale.

Or *Andromaque* offre bien des situations cruelles : il y est question, pour des raisons politiques, de mettre à mort un tout petit enfant, ignorant et innocent (Astyanax) ; une fiancée délaissée et saisie d'une jalousie féroce (Hermione) fait tuer l'homme qui l'abandonne pour une autre ; le soupirant qu'elle pousse au crime (Oreste), une fois qu'il a exécuté ses ordres, se voit repoussé par elle et devient fou. Ces situations constituent donc un univers de souffrances. Les plus sensibles sont celles d'Andromaque (la mère d'Astyanax), obligée de choisir entre le mariage avec l'homme qui a détruit son pays et sa famille (Pyrrhus), et dont elle est prisonnière, et le sacrifice de son enfant. Mais celles du personnage d'Oreste ne sont pas moindres, quoique présentées de façon plus subtile. Il espère reconquérir la femme qu'il aime, Hermione, mais toutes les manœuvres qu'il fait pour cela se retournent contre lui : c'est ce que l'on appelle la logique de l'**ironie tragique** (voir p. 227), qui le conduit au désespoir et à la folie.

Une intrigue galante qui tourne mal

La situation de départ de la pièce peut se définir ainsi : un an après la guerre de Troie, Andromaque, veuve d'Hector, chef des Troyens, est prisonnière de Pyrrhus, roi grec qui a remporté l'ultime bataille de la guerre, et fils d'Achille, qui avait tué Hector. Pyrrhus est fiancé à Hermione, fille d'un autre roi grec, Ménélas. Mais il est tombé amoureux d'Andromaque. Survient alors Oreste : les Grecs, sachant qu'Astyanax (l'enfant qu'Andromaque a eu d'Hector) a survécu au massacre de tous les Troyens de sexe mâle, ont envoyé Oreste pour exiger de Pyrrhus qu'il tue cet enfant. Mais il se trouve qu'Oreste est amoureux d'Hermione : si Pyrrhus refuse la mort de l'enfant, ses fiançailles avec Hermione seront rompues, et Oreste peut espérer reprendre ainsi celle qu'il aime.

On a souvent résumé cette intrigue de la façon suivante : Oreste aime Hermione, qui aime Pyrrhus, qui aime Andromaque, qui aime Hector, qui est mort.

C'est donc une chaîne d'amours non partagées. Cela appelle deux remarques :

— d'une part, cette intrigue d'amours entre personnages qui ne s'aiment pas correspondait à une vieille tradition de la littérature française et européenne : la pastorale, où l'on racontait ainsi, dans un monde de bergers et de bergères, des amours mal assorties (voir p. 228).

Vase grec du début du Vᵉ siècle av. J.-C. (détail)
représentant Cassandre (une princesse troyenne), un Grec,
un Troyen et Andromaque. Musée du Louvre, Paris.

En faveur auprès du public qui aimait la galanterie à la
mode, ce type d'intrigue permettait de jouer sur les
raffinements des sentiments et du langage amoureux ;
— d'autre part, la « chaîne galante » des amours non
partagées comporte ici, d'emblée, un élément tragique :
Hector est mort. Dans les pastorales, tout s'arrangeait
à la fin : les personnages s'apercevaient qu'ils s'étaient
trompés dans leur choix, des couples se formaient et
se mariaient. Mais Andromaque, elle, reste fidèle au
souvenir d'Hector. Ce « poids du passé » crée une
situation de tragédie inéluctable.

21

Avec sa pièce précédente, *Alexandre le Grand,* Racine avait obtenu un bon succès. Mais on avait jugé que, si c'était une pièce galante, brillante par le langage amoureux, ce n'était pas une vraie tragédie. Avec *Andromaque,* il réussit à fondre ensemble galanterie et tragédie. La preuve en est donnée par les conséquences du choix de Pyrrhus : s'il épouse Andromaque, il renie l'alliance qui avait été conclue entre les cités grecques lors de la guerre contre Troie, et déclenche une nouvelle guerre entre les anciens alliés ; l'enjeu sentimental et l'enjeu politique sont étroitement liés. Et, s'il épouse Hermione, il sacrifie un enfant innocent. Dans les deux cas, sa décision aura des suites meurtrières.

Un triomphe

L'habileté avec laquelle Racine a combiné les facettes du goût de son époque (raffinement psychologique galant et émotions fortes de la tragédie) explique le grand succès de sa pièce.

Elle fut créée le 17 novembre 1667, à la cour, dans l'appartement de la reine. Puis elle fut jouée au théâtre de l'Hôtel de Bourgogne. L'actrice Du Parc, jusque-là vedette de la troupe de Molière, avait changé de troupe et était devenue la maîtresse de Racine ; elle jouait le rôle d'Andromaque. Le public fut enthousiaste, le succès devint triomphal. Il fut le plus grand qu'on ait vu alors en France depuis celui du *Cid*. C'est dire combien Racine avait eu le talent de bien pressentir les goûts du public de son temps.

L'intrigue : une série de revirements

Une étrange ambassade... (acte I)

Oreste arrive à la cour de Pyrrhus, avec mission de réclamer la mise à mort d'Astyanax, descendant des rois de Troie et prisonnier de Pyrrhus. En fait, il rêve surtout de revoir Hermione, fiancée de Pyrrhus, qu'il aime et voudrait enlever. Son ami Pylade, qu'il retrouve là par hasard, promet de l'aider. Il lui conseille de jouer sur le fait que Pyrrhus aime Andromaque, sa captive, mère d'Astyanax : si Pyrrhus, pour plaire à celle-ci, refuse la mort de l'enfant, ses fiançailles avec Hermione seront rompues, et Oreste pourra emmener celle qu'il aime (scène 1).

L'entrevue entre Oreste et Pyrrhus se passe mal en effet : Oreste se montre assez provocant, et Pyrrhus refuse de livrer l'enfant (scène 2).

Mais Pyrrhus est ensuite déçu : quand il fait part à Andromaque de la façon dont il l'a protégée, elle refuse malgré tout de l'épouser. Il la somme de réfléchir, et l'envoie voir son enfant, pensant qu'elle sera tentée d'accepter le mariage pour le sauver (scène 4).

Illusions et désillusions d'Oreste (acte II)

Hermione accepte de recevoir Oreste ; elle se sent blessée par l'attitude de Pyrrhus (scène 1). Leurs retrouvailles sont difficiles, mais elle envisage, si Pyrrhus persiste dans sa décision en faveur d'Andromaque, de partir avec Oreste. Celui-ci croit avoir partie gagnée (scènes 2 et 3).

Mais, dans l'intervalle, Andromaque a maintenu son refus d'épouser Pyrrhus. Et celui-ci vient — renversement de situation — annoncer à Oreste qu'il va livrer l'enfant. Oreste est frappé de stupeur (scène 4). Au fond de son cœur, pourtant, Pyrrhus hésite encore (scène 5).

L'ultimatum (acte III)

Fou de rage, Oreste décide d'enlever Hermione de force (scène 1). Cette dernière, en revanche, se réjouit du mariage que Pyrrhus a décidé de conclure avec elle le jour même (scènes 2 et 3).

Andromaque vient se jeter à ses pieds, la supplier de sauver son fils. Hermione la repousse (scène 4). Survient Pyrrhus. Andromaque finit par le supplier lui aussi. Il lui lance alors un ultimatum : ou elle l'épouse sur-le-champ, ou Astyanax meurt ; elle doit répondre dans une heure (scènes 6 et 7).

La course à la mort (acte IV)

Après avoir prié sur le tombeau d'Hector, Andromaque a pris une décision : elle va épouser Pyrrhus, afin de sauver Astyanax, et, pour ne pas être infidèle à la mémoire de son premier mari, se tuer aussitôt après (scène 1). Hermione est furieuse. Elle convoque Oreste, et, comme condition de sa fuite avec lui, exige qu'il tue Pyrrhus. Sa jalousie est sans bornes : plutôt tuer celui qu'elle aime que le voir à une autre (scènes 2, 3 et 4).

Pyrrhus vient en personne lui faire part de sa décision d'épouser Andromaque. Elle laisse éclater sa rage, et lui fait comprendre qu'elle souhaite se venger (scène 5).

Un dénouement à rebondissements (acte V)

Tandis que le mariage de Pyrrhus et d'Andromaque se célèbre au temple, Hermione se ronge de rage jalouse (scène 1). Sa confidente vient lui raconter que la cérémonie avance, mais qu'Oreste n'a pas encore agi (scène 2).

Oreste survient : sa garde de soldats grecs, furieuse de voir Pyrrhus rompre l'alliance, l'a frappé à mort. Stupéfaction : Hermione lui reproche ce crime qu'elle avait commandé (scène 3). Oreste est alors atteint de folie. Pylade, qui a tout préparé pour leur fuite, lui annonce qu'Hermione s'est tuée sur le corps de Pyrrhus, que le peuple d'Épire (voir p. 32) reconnaît Andromaque pour reine et veut venger son roi, et le sauve in extremis du suicide (scène 4 et 5).

Fureur et fatalité

Des souvenirs obsédants

L'histoire que relate *Andromaque* est tout entière marquée par la guerre de Troie, achevée un an plus tôt. Toutes les attitudes et toutes les relations des personnages trouvent là des sources de contradictions insolubles.

Ainsi Hector, mari d'Andromaque, a été tué par Achille, père de Pyrrhus. Hermione avait préalablement été promise en mariage à Pyrrhus pour obtenir son alliance dans cette guerre. Du coup, Oreste, qui l'aimait, s'en est trouvé bouleversé, et est obsédé par cet amour perdu. Andromaque, hantée par le souvenir d'Hector, a élevé à sa mémoire un cénotaphe (un tombeau ne contenant pas le corps du défunt). Enfin, Astyanax est le symbole vivant de cette guerre passée dont les conséquences n'en finissent pas de peser sur le présent.

Ce poids du passé est une façon de représenter la fatalité : le destin de chaque personnage est déterminé par une logique qui le dépasse et contre laquelle sa raison, sa volonté ne peuvent rien. Cela permet à Racine d'évoquer le monde mythologique et ses puissances surhumaines (voir p. 166).

Des êtres de fureur : Oreste, Hermione, Pyrrhus

Pris dans cette logique infernale, certains des personnages sont entraînés vers la folie, la « fureur » au sens premier du terme (voir p. 38). Ils essayent plus ou moins d'y résister, mais finissent par être emportés.

Oreste

Il est l'exemple le plus net de ces êtres de fureur ; il sombre vraiment dans la démence à la fin de la pièce.

Fils d'Agamemnon, le plus grand roi de la Grèce (voir p. 31 et 166), il est trop jeune pour avoir pris part à la guerre de Troie. Mais celle-ci l'a privé d'Hermione qu'il aime avec passion. Dès le début de la pièce, il est donc dans une situation fausse : il s'est fait nommer ambassadeur non pas pour servir son pays, mais pour servir ses intérêts personnels. Ensuite, il est le jouet des événements : tous ses calculs se révèlent faux. Un reste de morale le retient : il n'ose pas tuer Pyrrhus. Mais il est animé par la fureur amoureuse : son projet d'enlever Hermione est un projet « fou ».

Hermione

Elle incarne la fureur de la jalousie. Son amour pour Pyrrhus est sincère : elle l'admire, et elle s'est attachée à lui au point de supporter l'humiliation de le voir hésiter entre elle et Andromaque. Passion et jalousie la plongent dans une contradiction insoluble : elle désire vraiment la mort de Pyrrhus, et elle ne la supporte pas. Elle apparaît cruelle, à l'égard d'Andromaque et même d'Oreste : en fait, elle est faible, incapable de maîtriser la douleur que l'humiliation de son amour lui procure.

Pyrrhus

Il est le fils d'Achille, qui incarnait dans la mythologie le guerrier plein de fougue, presque invincible, mais

Le personnage d'Hermione dans *Andromaque*.
Illustration d'Edmond Geffroy (1804 -1895). Bibliothèque
de l'Arsenal (fonds Rondel), Paris.

sujet à s'emporter par colère (voir p. 31 et 166). Après la mort de son père, Pyrrhus a pris sa place dans l'armée grecque, et mené le combat avec la plus grande violence. Il voudrait oublier ce passé : son amour pour Andromaque exprime un désir de vivre au présent. Mais, au lieu d'essayer de la convaincre par la douceur, il veut lui arracher un mariage de force. Il apparaît donc lui aussi comme un personnage de violence, emporté par sa passion.

Un être de douleur : Andromaque

Face à ces passionnés, le personnage d'Andromaque offre une image émouvante par sa triple faiblesse : elle est une veuve fidèle au souvenir de son mari, et inconsolable ; elle est une mère que le sort de son enfant angoisse ; elle est une prisonnière soumise au bon vouloir des vainqueurs. La « solution » à laquelle elle aboutit (épouser Pyrrhus pour sauver son fils, puis se tuer aussitôt) montre bien dans quelles contradictions elle se trouve prise. Un tel personnage éveillait la pitié chez les spectateurs, pouvait leur faire verser des larmes.

Cependant, dans le dénouement que Racine a choisi (voir p. 199), Andromaque s'emploie à venger Pyrrhus. Cela révèle un côté énergique du personnage, qu'on avait peu vu jusque-là. Mais c'est aussi que, en vengeant Pyrrhus, c'est un peu la vengeance de Troie qu'elle entreprend.

Achille.
Bronze antique. Musée du Louvre, Paris.

Lieux et personnages mythologiques dans *Andromaque*

Lorsqu'un personnage, ou un lieu, est souvent mentionné dans la pièce, seul le vers où le nom apparaît pour la première fois est indiqué.

Achille (vers 146) : demi-dieu (fils de la déesse Thétis), roi d'Épire, c'était un guerrier coléreux, mais quasi invincible : selon la légende, il était invulnérable parce que sa mère l'avait, tout petit, trempé dans le fleuve des Enfers ; seul le talon, par où elle le tenait, pouvait être blessé. Achille tua Hector en combat singulier. Pâris, frère d'Hector, le tua d'une flèche au talon et son fils Pyrrhus lui succéda. L'Épire n'avait jamais eu de conflit contre Troie ; donc Achille, puis Pyrrhus n'étaient pas obligés de s'allier aux Grecs ; c'est pour les décider que ceux-ci leur promirent des récompenses, notamment la main d'Hermione à Pyrrhus.

Agamemnon (vers 178, 274, 1160) : père d'Oreste, roi d'Argos, il fut le chef des Grecs dans leur guerre contre Troie.

Argos (unique mention au vers 190) : une des principales cités de Grèce (voir p. 34).

Astyanax (vers 71, 94, 222) : fils d'Hector et d'Andromaque, donc descendant des rois de Troie.

Cassandre (vers 190) : fille de Priam et d'Hécube, princesse troyenne, qui avait le don de prédire l'avenir ; elle avait prévu la chute de Troie.

Épire (vers 12) : région au nord-ouest de la Grèce (voir p. 34). Elle s'étend jusqu'à la frontière yougoslave et l'Albanie actuelles.

Grèce, Grecs (vers 10, 89) : désignent en fait l'ensemble des petits royaumes qui couvraient la Grèce archaïque, et l'alliance que leurs peuples avaient formée contre Troie.

Hector (vers 71) : fils de Priam, mari d'Andromaque et général en chef des Troyens. Il résista longtemps avec succès aux Grecs, avant d'accepter un duel avec Achille, où il fut tué.

Hécube (unique mention au vers 189) : femme de Priam, reine de Troie.

Hélène (vers 245) : femme de Ménélas, mère d'Hermione. Elle était d'une grande beauté. Elle fut séduite et enlevée par Pâris, prince troyen, ce qui déclencha la guerre de Troie (voir p. 167).

Ilion (vers 330 et 564) : nom grec de la ville de Troie.

Ménélas (vers 41) : roi de Sparte (voir p. 34), frère d'Agamemnon, époux d'Hélène et père d'Hermione.

Phrygie (unique mention au vers 313) : territoire d'Asie Mineure, arrière-pays de Troie (voir p. 34).

Polyxène (unique mention au vers 1338) : fille de Priam et d'Hécube, elle avait été promise à Achille ; après la mort de ce dernier, Polyxène se trouva prisonnière de Pyrrhus qui, obéissant à un oracle, la sacrifia au souvenir de son père.

Priam (vers 207) : roi de Troie et père d'Hector. Il fut tué par Pyrrhus lors de la prise de la ville.

Troie (vers 72) : cité d'Asie Mineure, située sur la côte sud de l'Hellespont (détroit des Dardanelles). Les légendes disaient que ses rois descendaient d'un fils de Zeus, et que ses remparts avaient été construits par Poséidon. Le roi Priam, qui eut cinquante fils et douze filles, régnait quand éclata la guerre avec les Grecs (voir p. 167).

Ulysse (vers 74) : roi d'Ithaque (voir p. 34), et l'un des chefs grecs contre Troie, réputé pour sa ruse : il inventa le stratagème du « cheval de Troie », grande statue de bois où il se cacha et d'où il surprit les Troyens quand ceux-ci, croyant les Grecs en fuite, ouvrirent les portes de leur ville (voir p. 172).

MACÉDOINE

Amphipolis

Thasos

CHALCIDIQUE

Mont Olympe ▲

ÉPIRE

Buthrot

Corfou

Dodone

THESSALIE

Mer

GRÈCE

Mer

Leucade
Ithaque

ÉTOLIE

Delphes

BÉOTIE

EUBÉE

Skyros

Céphalonie

Thèbes

ACHAÏE

Corinthe

Athènes

Zakynthos

ÉLIDE

ARCADIE

Mycènes ATTIQUE

Olympie

Argos

ARGOLIDE

Épidaure

Trézène

Mégalopolis

Ionienne

MESSÉNIE

PÉLOPONNÈSE

Sparte

LACONIE

Mélos

Cythère

Égée = Nom de mer

ÉPIRE = NOM de RÉGION
Ithaque = Nom d'île
Athènes = Nom de ville

0   200
           Km

CRÈTE

34

35

La crise tragique

La théorie de la tragédie classique exigeait le respect de plusieurs règles (voir p. 229). Des règles de forme : cinq actes, en alexandrins. Des règles de contenu : que les personnages soient d'un rang social très élevé, et que la fin soit malheureuse. Enfin, des règles d'unité (voir p. 231) : unité de lieu, d'action et de temps ; cette dernière consistait à faire que les événements tiennent en vingt-quatre heures au plus.

Racine respecte très bien ces règles, en particulier l'unité de temps : l'action de sa pièce tient en une journée. Mais il ne se contente pas de les respecter de façon mécanique : il en fait le moyen de rendre sensible, pour les spectateurs, un **état de crise** qui est essentiel à l'esthétique de la tragédie. En effet, *Andromaque* correspond à une crise politique : l'ambassade d'Oreste apporte à Pyrrhus un ultimatum. Et la crise politique déclenche la crise passionnelle : jusque-là, Pyrrhus hésitait encore entre Andromaque et Hermione, et Hermione gardait espoir et patience. Avec l'arrivée d'Oreste, tout se précipite. Le moindre mot, le moindre geste peuvent avoir des conséquences terribles (guerre, assassinat, etc.).

Cette ambiance où le danger est partout, à tout instant, provoque un effet essentiel de la tragédie : la sensation de la « terreur » que le spectateur peut ressentir. De ce point de vue, *Andromaque* associe de façon remarquable la crise passionnelle et la crise politique.

Petit lexique racinien des passions

Voici quelques mots-clefs du langage de la passion dans le texte de Racine. Ils sont souvent employés comme des métaphores galantes ; par exemple : « feux » pour « amour ». Sont regroupés ici, de façon à éviter de multiplier les notes explicatives, ceux qui reviennent souvent dans l'œuvre (pour les passages où leur emploi pose un problème de compréhension, on trouvera une note explicative spécifique).

Mais ils permettent aussi un petit exercice révélateur : en observant cette courte liste, on peut voir si ce sont les mots de sens positif (cœur, amant, etc.), ou ceux de sens négatif (ennuis, fureur, etc.) qui sont les plus abondants, et surtout lesquels reviennent le plus souvent... On voit ainsi que, en dépit de tous leurs « soins », les personnages ne respectent pas leur « foi » et sont emportés vers les « fureurs » que provoquent leurs « feux »...

amant *(nom masc.) :* qui aime (et qui est parfois aimé en retour), sans qu'il y ait pour autant des rapports sexuels. Vers 116, 403, 1482.

cœur - courage *(noms masc.) :* ces deux mots sont souvent équivalents en français classique, « cœur » étant employé dans le sens de « courage » (vers 787, 1018, 1239, 1342, 1411, 1475, 1497). Mais le mot « cœur » peut également signifier « amour » (ex. : vers 624) ou encore « pensée, désir intérieurs » (ex. : vers 1471).

cruauté *(nom fém.)* : en langage galant, désigne l'indifférence sentimentale (vers 507, 556, 643, 763, 825, 887, 1131, 1356, 1397). L'adjectif « cruel » peut être aussi employé dans son sens actuel (vers 740, 863, 1034, 1539, 1556).

destin *(nom masc.)* : le sort, ce qui doit advenir dans le futur. Vers 200, 383, 482, 516, 539.

ennui *(nom masc.)* : tourment, peine profonde. Vers 44, 256, 376, 396, 427, 524, 1139, 1403.

feux *(nom masc. pl.)* : sentiments amoureux (langage galant). Vers 86, 95, 108, 251, 320, 468, 553, 574, 576.

flamme *(nom fém.)* : amour (langage galant). Vers 40, 629, 865, 918, 1017.

foi *(nom fém.)* : il ne s'agit pas ici de la foi religieuse mais de la parole donnée, de la fidélité. Vers 437, 462, 819, 1023, 1043, 1075, 1107, 1128, 1138, 1282, 1324, 1381, 1507.

fortune *(nom fém.)* : le sort, le destin, ce qui oriente le déroulement de la vie des humains selon les volontés des dieux. Vers 2, 441, 829, 913.

fureur *(nom fém.)* : passion, folie, emportement extrême. Vers 368, 418, 488, 709, 726, 1042, 1061, 1229, 1388, 1641.

inhumaine *(nom fém.)* : femme qui repousse l'amour qu'on lui offre (langage galant). Vers 26, 762.

injure *(nom fém.)* : affront que l'on subit, attitude ou situation blessante (il ne s'agit pas ici de mots injurieux). Vers 422, 1361, 1482.

rigueur *(nom fém.)* : dureté, cruauté (langage galant). Vers 307, 521.

soins *(nom masc. pl.)* : souci, attention que l'on porte à quelque chose ou à quelqu'un, précaution que l'on prend ; en langage galant, les attentions qu'on a pour la personne qu'on aime. Vers 62, 195, 244, 310, 321, 501, 879, 944, 1060, 1252, 1457, 1482.

souffrir *(verbe transitif)* : accepter, tolérer (vers 261, 339, 711, 1185). Ailleurs, ce mot est employé dans son sens actuel.

transports *(nom masc. pl.)* : mouvements passionnels, sentiments violents. Vers 54, 300, 368, 719, 850, 1394, 1457, 1505, 1646.

Portrait de Racine.
Esquisse par son fils Louis (1692-1763). B.N., Paris.

RACINE

Andromaque

tragédie
représentée pour la première fois
le 17 novembre 1667

Dédicace

À Madame[1]

Madame,

Ce n'est pas sans sujet que je mets votre illustre nom à la tête de cet ouvrage. Et de quel autre nom pourrais-je éblouir les yeux de mes lecteurs, que de celui dont mes spectateurs ont été si heureusement éblouis ? On savait que Votre Altesse Royale avait daigné prendre soin de la conduite de ma tragédie ; on savait que vous m'aviez prêté quelques-unes de vos lumières pour y ajouter de nouveaux ornements[2] ; on savait enfin que vous l'aviez honorée de quelques larmes dès la première lecture que je vous en fis. Pardonnez-moi, Madame, si j'ose me vanter de cet heureux commencement de sa destinée. Il me console bien glorieusement de la dureté de ceux qui ne voudraient pas s'en laisser toucher. Je leur permets de condamner l'*Andromaque* tant qu'ils voudront, pourvu qu'il me soit permis d'appeler de toutes les subtilités de leur esprit au cœur de Votre Altesse Royale.

Mais, Madame, ce n'est pas seulement du cœur[3] que vous

---

1. *À Madame* : il s'agit d'Henriette d'Angleterre, épouse de Philippe d'Orléans, frère de Louis XIV. Elle était cultivée et aimait le théâtre. C'est elle qui suggéra à la reine d'organiser dans son appartement la première représentation d'*Andromaque*. Racine lui dédie sa pièce en remerciement.
2. *Ornements* : beautés (Racine suggère que la princesse l'a aidé de ses conseils, ce qui est un peu excessif).
3. *Du cœur* : avec le cœur.

jugez de la bonté d'un ouvrage, c'est avec une intelligence qu'aucune fausse lueur ne saurait tromper. Pouvons-nous mettre sur la scène une histoire que vous ne possédiez[1] aussi bien que nous ? Pouvons-nous faire jouer une intrigue dont vous ne pénétriez tous les ressorts ? Et pouvons-nous concevoir des sentiments si nobles et si délicats qui ne soient infiniment au-dessous de la noblesse et de la délicatesse de vos pensées ?

On sait, MADAME, et VOTRE ALTESSE ROYALE a beau s'en cacher, que, dans ce haut degré de gloire où la Nature et la Fortune ont pris plaisir de vous élever, vous ne dédaignez pas cette gloire obscure que les gens de lettres s'étaient réservée. Et il semble que vous ayez voulu avoir autant d'avantage sur notre sexe, par les connaissances et par la solidité de votre esprit, que vous excellez dans le vôtre par toutes les grâces qui vous environnent. La cour vous regarde comme l'arbitre de tout ce qui se fait d'agréable. Et nous qui travaillons pour plaire au public, nous n'avons plus que faire de demander aux savants si nous travaillons selon les règles. La règle souveraine est de plaire à VOTRE ALTESSE ROYALE.

Voilà sans doute la moindre de vos excellentes qualités. Mais, MADAME, c'est la seule dont j'ai pu parler avec quelque connaissance ; les autres sont trop élevées au-dessus de moi. Je n'en puis parler sans les rabaisser par la faiblesse de mes pensées, et sans sortir de la profonde vénération avec laquelle je suis,

MADAME,

DE VOTRE ALTESSE ROYALE,

Le très humble, très obéissant,
et très fidèle serviteur,

RACINE.

---

1. *Possédiez :* connaissiez.

Première préface[1]

Virgile au troisième livre de *l'Énéide*[2] (c'est Énée qui parle) :

Littoraque Epiri legimus, portuque subimus
Chaonio, et celsam Buthroti ascendimus urbem...
Solemnes tum forte dapes et tristia dona...
Libabat cineri Andromache, Manesque vocabat
Hectoreum ad tumulum, viridi quem cespite inanem,
Et geminas, causam lacrymis, sacraverat aras...
Dejecit vultum, et demissa voce locuta est :
« *O felix una ante alias Priameïa virgo,*
Hostilem ad tumulum, Trojæ sub mœnibus altis,
Jussa mori, quæ sortitus non pertulit ullos,
Nec victoris heri tetigit captiva cubile !
Nos, patria incensa, diversa per æquora vectæ,
Stirpis Achilleæ fastus, juvenemque superbum,
Servitio enixæ, tulimus, qui deinde secutus
Ledæam Hermionem, Lacedæmoniosque hymenæos...
Ast illum, ereptæ magno inflammatus amore
Conjugis, et scelerum Furiis agitatus, Orestes
Excipit incautum, patriasque obtruncat ad aras ».

Voilà, en peu de vers, tout le sujet de cette tragédie. Voilà
le lieu de la scène, l'action qui s'y passe, les quatre principaux

---

1. *Première préface :* elle fut écrite en 1668. La pièce de Racine avait
donné lieu, en même temps qu'à un grand succès, à des critiques.
Racine réplique par cette préface à la fois ironique et mordante.
2. *L'Énéide :* vaste épopée (voir p. 225) inachevée du poète latin
Virgile (70-19 av. J.-C.). Voir la traduction du passage qui suit p. 50.

acteurs[1], et même leurs caractères[2], excepté celui d'Hermione dont la jalousie et les emportements sont assez marqués dans l'*Andromaque* d'Euripide[3].

Mais véritablement mes personnages sont si fameux dans l'Antiquité, que, pour peu qu'on la connaisse, on verra fort bien que je les ai rendus tels que les anciens poètes nous les ont donnés. Aussi n'ai-je pas pensé qu'il me fût permis de rien changer à leurs mœurs. Toute la liberté que j'ai prise, ç'a été d'adoucir un peu la férocité de Pyrrhus, que Sénèque[4], dans sa *Troade,* et Virgile, dans le second livre de l'*Énéide,* ont poussée beaucoup plus loin que je n'ai cru le devoir faire.

Encore s'est-il trouvé des gens qui se sont plaints qu'il s'emportât contre Andromaque, et qu'il voulût épouser une captive à quelque prix que ce fût. J'avoue qu'il n'est pas assez résigné à la volonté de sa maîtresse, et que Céladon[5] a mieux connu que lui le parfait amour. Mais que faire ? Pyrrhus n'avait pas lu nos romans. Il était violent de son naturel, et tous les héros ne sont pas faits pour être des Céladons.

Quoi qu'il en soit, le public m'a été trop favorable pour m'embarrasser du chagrin particulier de deux ou trois personnes qui voudraient qu'on réformât tous les héros de l'Antiquité pour en faire des héros parfaits. Je trouve leur intention fort bonne de vouloir qu'on ne mette sur la scène que des hommes impeccables mais je les prie de se souvenir que ce n'est point à moi de changer les règles du théâtre. Horace nous recommande de peindre Achille farouche, inexorable, violent,

---

1. *Acteurs :* personnages.
2. *Leurs caractères :* leurs façons de se comporter et leur situation (le mot n'a pas le sens plus étroitement psychologique qu'il a pris en français moderne).
3. *Euripide :* poète tragique grec (480-406 av. J.-C.).
4. *Sénèque :* philosophe latin (v. 2 av. J.-C. - 65 apr. J.-C.).
5. *Céladon :* héros du roman d'Honoré d'Urfé, *l'Astrée* (1607-1628), incarnant l'amoureux parfait, doux, fidèle, dévoué à sa maîtresse.

tel qu'il était, et tel qu'on dépeint son fils. Aristote, bien éloigné de nous demander des héros parfaits, veut au contraire que les personnages tragiques, c'est-à-dire ceux dont le malheur fait la catastrophe de la tragédie, ne soient ni tout à fait bons, ni tout à fait méchants. Il ne veut pas qu'ils soient extrêmement bons, parce que la punition d'un homme de bien exciterait plus l'indignation que la pitié du spectateur ; ni qu'ils soient méchants avec excès, parce qu'on n'a point pitié d'un scélérat. Il faut donc qu'ils aient une bonté médiocre, c'est-à-dire une vertu capable de faiblesse, et qu'ils tombent dans le malheur par quelque faute qui les fasse plaindre sans les faire détester.

Seconde préface[1]

Virgile au troisième livre de *l'Énéide* (c'est Énée qui parle) :

Littoraque Epiri legimus, portuque subimus
Chaonio, et celsam Buthroti ascendimus urbem...
Solemnes tum forte dapes et tristia dona...
Libabat cineri Andromache, Manesque vocabat
Hectoreum ad tumulum, viridi quem cespite inanem,
Et geminas, causam lacrymis, sacraverat aras...
Dejecit vultum, et demissa voce locuta est :
« *O felix una ante alias Priameïa virgo,*
Hostilem ad tumulum, Trojæ sub mœnibus altis,
Jussa mori, quæ sortitus non pertulit ullos,
Nec victoris heri tetigit captiva cubile !
Nos, patria incensa, diversa per æquora vectæ,
Stirpis Achilleæ fastus, juvenemque superbum,
Servitio enixæ, tulimus, qui deinde secutus
Ledæam Hermionem, Lacedæmoniosque hymenæos...
Ast illum, ereptæ magno inflammatus amore
Conjugis, et scelerum Furiis agitatus, Orestes
Excipit incautum, patriasque obtruncat ad aras »[2].

Voilà, en peu de vers, tout le sujet de cette tragédie, voilà le lieu de la scène, l'action qui s'y passe, les quatre principaux

---

1. Cette préface figure dans l'édition de ses *Œuvres complètes* que Racine donne en 1676. Il est alors au sommet de sa gloire, sûr de lui ; aussi, il enlève les passages polémiques, et, au contraire, discute en savant des modèles grecs et latins, et des libertés du poète.
2. Il s'agit du même extrait de *l'Énéide* que dans la première préface (voir la traduction p. 50).

acteurs, et même leurs caractères, excepté celui d'Hermione dont la jalousie et les emportements sont assez marqués dans l'*Andromaque* d'Euripide.

C'est presque la seule chose que j'emprunte ici de cet auteur. Car, quoique ma tragédie porte le même nom que la sienne, le sujet en est cependant très différent. Andromaque, dans Euripide, craint pour la vie de Molossus, qui est un fils qu'elle a eu de Pyrrhus et qu'Hermione veut faire mourir avec sa mère. Mais ici il ne s'agit point de Molossus : Andromaque ne connaît point d'autre mari qu'Hector, ni d'autre fils qu'Astyanax. J'ai cru en cela me conformer à l'idée que nous avons maintenant de cette princesse. La plupart de ceux qui ont entendu parler d'Andromaque ne la connaissaient guère que pour la veuve d'Hector et pour la mère d'Astyanax. On ne croit point qu'elle doive aimer ni un autre mari, ni un autre fils ; et je doute que les larmes d'Andromaque eussent fait sur l'esprit de mes spectateurs l'impression qu'elles y ont faite, si elles avaient coulé pour un autre fils que celui qu'elle avait d'Hector.

Il est vrai que j'ai été obligé de faire vivre Astyanax un peu plus qu'il n'a vécu ; mais j'écris dans un pays où cette liberté ne pouvait pas être mal reçue. Car, sans parler de Ronsard[1], qui a choisi ce même Astyanax pour le héros de sa *Franciade,* qui ne sait que l'on fait descendre nos anciens rois de ce fils d'Hector, et que nos vieilles chroniques sauvent la vie à ce jeune prince, après la désolation de son pays, pour en faire le fondateur de notre monarchie ?

Combien Euripide a-t-il été plus hardi dans sa tragédie d'*Hélène* ! Il y choque ouvertement la créance commune de toute la Grèce : il suppose qu'Hélène n'a jamais mis le pied dans Troie, et qu'après l'embrasement de cette ville, Ménélas

---

1. *Ronsard :* poète français (1524-1585).

trouve sa femme en Égypte, d'où elle n'était point partie ;
tout cela fondé sur une opinion qui n'était reçue que
parmi les Égyptiens, comme on le peut voir dans Hérodote.

Je ne crois pas que j'eusse besoin de cet exemple d'Euripide
pour justifier le peu de liberté que j'ai prise. Car il y a bien
de la différence entre détruire le principal fondement d'une
fable et en altérer quelques incidents, qui changent presque
de face dans toutes les mains qui les traitent. Ainsi Achille,
selon la plupart des poètes, ne peut être blessé qu'au talon,
quoique Homère le fasse blesser au bras, et ne le croie
invulnérable en aucune partie de son corps. Ainsi Sophocle[1]
fait mourir Jocaste aussitôt après la reconnaissance
d'Œdipe ; tout au contraire d'Euripide qui la fait vivre jusqu'au
combat et à la mort de ses deux fils. Et c'est à propos de
quelques contrariétés de cette nature qu'un ancien
commentateur de Sophocle[2] remarque fort bien « qu'il ne
faut point s'amuser à chicaner les poètes pour quelques
changements qu'ils ont pu faire dans la fable ; mais qu'il faut
s'attacher à considérer l'excellent usage qu'ils ont fait de ces
changements et la manière ingénieuse dont ils ont su
accommoder la fable à leur sujet ».

---

1. *Sophocle :* poète tragique grec (v. 495-406 av. J.-C.).
2. Il s'agit de l'Allemand Camerarius (1500-1574) dans son
commentaire *Sophoclès Électra.*

Traduction de l'extrait de *l'Énéide* :

Nous longeons les côtes de l'Épire, nous entrons dans le port des Chaones et nous dirigeons vers la haute ville de Buthrote. [...] Il y avait, ce jour, cérémonie solennelle, offrande aux morts [...] Andromaque pour leur cendre versait la libation, elle appelait les Mânes près d'un tombeau d'Hector. Vide, hélas ! elle l'avait saintement paré de gazon vert, avec deux autels où retrouver ses larmes. [...] Elle baissa le visage et murmura d'une voix désolée : « Ô seule heureuse avant toutes, la vierge Priamide qui reçut l'ordre de mourir sur le tombeau d'un ennemi devant les hauts murs de Troie, qui n'a pas subi le tirage au sort ni touché en captive le lit d'un vainqueur son maître ! Nous, des cendres de notre patrie traînée sur des mers lointaines, nous avons enduré les dédains du rejeton d'Achille et son insolente jeunesse, nous avons enfanté dans la servitude. Puis, lorsqu'il a suivi la petite-fille de Léda, Hermione, un hyménée lacédémonien [...] Mais follement enflammé par l'amour de l'épouse qui lui était ravie, poursuivi par les furies de ses crimes, Oreste le surprend à l'improviste et le tue devant les autels de ses pères ». (*L'Énéide*, livre III, vers 292 à 293, 301, 303 à 305, 320 à 328, 330 à 333, traduction de J. Perret, les Belles Lettres, 1977.)

ANDROMAQVE,

TRAGEDIE.

A PARIS,

Chez Theodore Girard , dans la grand'
Salle du Palais , du costé de la Cour
des Aydes , à l'Enuie.

M. DC. LXVIII.
AVEC PRIVILEGE DV ROY.

Frontispice de l'édition de 1668.
Bibliothèque nationale, Paris.

Personnages

Andromaque, *veuve d'Hector, captive de Pyrrhus.*
Pyrrhus, *fils d'Achille, roi d'Épire*[1].
Oreste, *fils d'Agamemnon.*
Hermione, *fille d'Hélène, accordée avec Pyrrhus.*
Pylade, *ami d'Oreste.*
Cléone, *confidente d'Hermione.*
Céphise, *confidente d'Andromaque.*
Phœnix, *gouverneur d'Achille, et ensuite de Pyrrhus.*
Suite d'Oreste.

La scène est à Buthrot, ville d'Épire, dans une salle du palais de Pyrrhus.

---

1. *Épire :* voir « Lieux et personnages mythologiques dans *Andromaque* » p. 31 et la carte p. 34.

Acte premier

SCÈNE 1. ORESTE, PYLADE.

ORESTE

Oui, puisque je retrouve un ami si fidèle,
Ma fortune[1] va prendre une face nouvelle ;
Et déjà son courroux semble s'être adouci
Depuis qu'elle a pris soin de nous rejoindre[2] ici.
5 Qui l'eût dit, qu'un rivage à mes vœux si funeste
Présenterait d'abord[3] Pylade aux yeux d'Oreste ?
Qu'après plus de six mois que je t'avais perdu,
À la cour de Pyrrhus tu me serais rendu ?

PYLADE

J'en rends grâces au ciel qui, m'arrêtant sans cesse,
10 Semblait m'avoir fermé le chemin de la Grèce[4],
Depuis le jour fatal que[5] la fureur des eaux
Presque aux yeux de l'Épire écarta[6] nos vaisseaux.
Combien, dans cet exil, ai-je souffert d'alarmes !
Combien à vos malheurs ai-je donné de larmes,
15 Craignant toujours pour vous quelque nouveau danger
Que ma triste amitié ne pouvait partager !
Surtout je redoutais cette mélancolie[7]

---

1. *Fortune :* les mots du français classique les plus usités par Racine
sont expliqués dans le « Petit lexique racinien des passions » (voir
p. 37).
2. *Rejoindre :* réunir après une séparation.
3. *D'abord :* tout de suite.
4. *Grèce :* voir « Lieux et personnages mythologiques dans
Andromaque » (p. 31).
5. *Que :* pouvait s'employer pour « où » en français classique.
6. *Écarta :* sépara.
7. *Mélancolie :* au XVIIe siècle, on la considérait comme une maladie,
un penchant excessif à la tristesse profonde.

Où j'ai vu si longtemps votre âme ensevelie.
Je craignais que le ciel, par un cruel secours,
20 Ne vous offrît la mort que vous cherchiez toujours.
Mais je vous vois, Seigneur ; et si j'ose le dire,
Un destin plus heureux vous conduit en Épire :
Le pompeux appareil[1] qui suit ici vos pas
N'est point d'un malheureux qui cherche le trépas[2].

ORESTE

25 Hélas ! qui peut savoir le destin qui m'amène ?
L'amour me fait ici chercher une inhumaine. — *Hermione*
Mais qui sait ce qu'il doit ordonner de mon sort,
Et si je viens chercher ou la vie ou la mort ?

PYLADE

Quoi ? votre âme à l'amour en esclave asservie
30 Se repose sur lui du soin de votre vie ?
Par quel charme[3], oubliant tant de tourments soufferts,
Pouvez-vous consentir à rentrer dans ses fers[4] ?
Pensez-vous qu'Hermione, à Sparte inexorable,
Vous prépare en Épire un sort plus favorable ?
35 Honteux d'avoir poussé[5] tant de vœux superflus,
Vous l'abhorriez[6] ; enfin vous ne m'en parliez plus.
Vous me trompiez, Seigneur.

ORESTE

Je me trompais moi-même !
Ami, n'accable point un malheureux qui t'aime.
T'ai-je jamais caché mon cœur et mes désirs ?
40 Tu vis naître ma flamme et mes premiers soupirs.

---

1. *Pompeux appareil* : grand cortège (« appareil » a, en français classique, le même sens qu'« apparat »).
2. *Trépas* : mort.
3. *Charme* : sortilège, formule magique.
4. *Fers* : métaphore galante, selon laquelle l'amoureux est comme un prisonnier ou un esclave de celle qu'il aime.
5. *Poussé* : exprimé avec force.
6. *Abhorriez* : détestiez, haïssiez.

Enfin, quand Ménélas disposa de sa fille
En faveur de Pyrrhus, vengeur de sa famille,
Tu vis mon désespoir ; et tu m'as vu depuis
Traîner de mers en mers ma chaîne et mes ennuis.
45 Je te vis à regret, en cet état funeste,
Prêt à suivre partout le déplorable[1] Oreste,
Toujours de ma fureur interrompre le cours,
Et de moi-même enfin me sauver tous les jours.
Mais quand je me souvins que parmi tant d'alarmes
50 Hermione à Pyrrhus prodiguait tous ses charmes,
Tu sais de quel courroux mon cœur alors épris[2]
Voulut en l'oubliant punir tous ses mépris.
Je fis croire et je crus ma victoire certaine ;
Je pris tous mes transports pour des transports de haine.
55 Détestant ses rigueurs, rabaissant ses attraits,
Je défiais ses yeux de me troubler jamais.
Voilà comme[3] je crus étouffer ma tendresse.
En ce calme trompeur j'arrivai dans la Grèce,
Et je trouvai d'abord ses princes rassemblés,
60 Qu'un péril assez grand semblait avoir troublés.
J'y courus. Je pensai que la guerre et la gloire
De soins plus importants rempliraient ma mémoire ;
Que mes sens reprenant leur première vigueur,
L'amour achèverait de sortir de mon cœur.
65 Mais admire[4] avec moi le sort dont la poursuite[5]
Me fit courir alors au piège que j'évite.
J'entends de tous côtés qu'on menace Pyrrhus ;
Toute la Grèce éclate en murmures confus ;
On se plaint qu'oubliant son sang et sa promesse
70 Il élève en sa cour l'ennemi de la Grèce,
Astyanax, d'Hector jeune et malheureux fils,

---

1. *Déplorable* : digne de pitié.
2. *Épris* : saisi (ici : de colère).
3. *Comme* : comment.
4. *Admire* : étonne-toi, trouve extraordinaire (sens latin).
5. *Poursuite* : persécution, acharnement sur quelqu'un (sens premier).

Reste[1] de tant de rois sous Troie ensevelis.
J'apprends que pour ravir son enfance au supplice
Andromaque trompa l'ingénieux Ulysse,
75 Tandis qu'un autre enfant, arraché de ses bras,
Sous le nom de son fils fut conduit au trépas.
On dit que peu sensible aux charmes d'Hermione
Mon rival porte ailleurs son cœur et sa couronne.
Ménélas, sans le croire, en paraît affligé,
80 Et se plaint d'un hymen[2] si longtemps négligé.
Parmi les déplaisirs[3] où son âme se noie,
Il s'élève en la mienne une secrète joie :
Je triomphe ; et pourtant je me flatte[4] d'abord
Que la seule vengeance excite ce transport.
85 Mais l'ingrate en mon cœur reprit bientôt sa place :
De mes feux mal éteints je reconnus la trace ;
Je sentis que ma haine allait finir son cours,
Ou plutôt je sentis que je l'aimais toujours.
Ainsi de tous les Grecs je brigue[5] le suffrage.
90 On m'envoie à Pyrrhus ; j'entreprends ce voyage,
Je viens voir si l'on peut arracher de ses bras
Cet enfant dont la vie alarme tant d'États.
Heureux si je pouvais, dans l'ardeur qui me presse,
Au lieu d'Astyanax, lui ravir ma princesse !
95 Car enfin n'attends pas que mes feux redoublés
Des périls les plus grands[6] puissent être troublés.
Puisque après tant d'efforts ma résistance est vaine,
Je me livre en aveugle au destin qui m'entraîne.
J'aime : je viens chercher Hermione en ces lieux,
100 La fléchir[7], l'enlever, ou mourir à ses yeux.

---

1. *Reste* : rejeton.
2. *Hymen* : mariage.
3. *Déplaisirs* : désespoirs (sens premier).
4. *Je me flatte* : je prétends, je veux me faire croire.
5. *Brigue* : sollicite, essaie de me faire élire (comme ambassadeur).
6. *Des périls les plus grands* : par les plus grands dangers.
7. *La fléchir* : la convaincre de m'aimer.

Toi qui connais Pyrrhus, que penses-tu qu'il fasse ?
Dans sa cour, dans son cœur, dis-moi ce qui se passe.
Mon Hermione encor[1] le tient-elle asservi ?
Me rendra-t-il, Pylade, un bien qu'il m'a ravi ?

PYLADE

105 Je vous abuserais[2] si j'osais vous promettre
Qu'entre vos mains, Seigneur, il voulût la remettre.
Non que de sa conquête il paraisse flatté[3] ;
Pour la veuve d'Hector ses feux ont éclaté ; — *Andromaque*
Il l'aime. Mais enfin cette veuve inhumaine
110 N'a payé jusqu'ici son amour que de haine ;
Et chaque jour encore on lui voit tout tenter
Pour fléchir sa captive, ou pour l'épouvanter.
De son fils qu'il lui cache il menace la tête[4],
Et fait couler des pleurs qu'aussitôt il arrête.
115 Hermione elle-même a vu plus de cent fois
Cet amant irrité revenir sous ses lois,
Et de ses vœux troublés lui rapportant l'hommage,
Soupirer à ses pieds moins d'amour que de rage.
Ainsi n'attendez pas que l'on puisse aujourd'hui
120 Vous répondre[5] d'un cœur si peu maître de lui :
Il peut, Seigneur, il peut, dans ce désordre extrême,
Épouser ce qu'il hait, et punir ce qu'il aime.

ORESTE

Mais dis-moi de quel œil Hermione peut voir
Son hymen différé, ses charmes sans pouvoir.

PYLADE

125 Hermione, Seigneur, au moins en apparence,

---

1. *Encor* : l'orthographe du XVIIe siècle était très souple, notamment
dans les œuvres en vers afin d'obtenir le nombre de syllabes nécessaire
au vers.
2. *Abuserais* : tromperais.
3. *Flatté* : ici, fier, heureux d'avoir réussi à se faire aimer.
4. *Il menace la tête* : il menace de le mettre à mort.
5. *Vous répondre* : donner des certitudes.

Semble de son amant dédaigner l'inconstance,
Et croit que trop heureux de fléchir sa rigueur
Il la viendra presser[1] de reprendre son cœur.
Mais je l'ai vue enfin me confier ses larmes ;
130 Elle pleure en secret le mépris de ses charmes.
Toujours prête à partir, et demeurant toujours,
Quelquefois elle appelle Oreste à son secours.

ORESTE

Ah ! si je le croyais, j'irais bientôt, Pylade,
Me jeter...

PYLADE

      Achevez, Seigneur, votre ambassade.
135 Vous attendez le roi : parlez, et lui montrez
Contre le fils d'Hector tous les Grecs conjurés,
Loin de leur accorder ce fils de sa maîtresse[2],
Leur haine ne fera qu'irriter[3] sa tendresse.
Plus on les veut brouiller, plus on va les unir.
140 Pressez[4], demandez tout, pour ne rien obtenir.
Il vient.

ORESTE

      Eh bien ! va donc disposer la cruelle
À revoir un amant qui ne vient que pour elle.

---

1. *Il la viendra presser :* il viendra la presser. Le pronom personnel
complément pouvait se placer indifféremment, en français classique,
avant ou après le verbe.
2. *Maîtresse :* celle qu'il aime, sans que l'amour soit pour autant
forcément partagé.
3. *Irriter :* exciter, renforcer.
4. *Pressez :* insistez, montrez-vous exigeant.

Acte I Scène 1

L'EXPOSITION : UNE SITUATION COMPLEXE

1. La pièce débute « en pleine action » : quelle tonalité donnent à ce début les premiers mots d'Oreste ? Citez le texte.

2. Quels renseignements concrets donnent les vers 1 à 16 ?

3. Qu'est-ce qui provoque la surprise de Pylade (v. 29 à 37) ?

4. La tirade d'Oreste (v. 37 à 104) : quels noms y sont prononcés ? Comment aident-ils à résumer les faits essentiels que le spectateur doit connaître ?

5. Comment comprenez-vous les vers 121 - 122 ?

6. Pourquoi Pylade conseille-t-il à Oreste de se montrer exigeant (v. 134 à 141) ? « Demander tout » est-ce de la bonne diplomatie ? Pourquoi ? D'après vous, quel est le vrai but recherché ?

UN AVENTURIER MALHEUREUX

7. Comment Oreste est-il tout de suite caractérisé par Pylade ? Justifiez votre réponse en vous appuyant sur le texte.

8. Quelle est l'origine du désespoir d'Oreste ? Citez le texte.

9. Quelles hypothèses Oreste envisage-t-il pour l'avenir ? Sont-elles conformes à son rôle d'ambassadeur ? Pourquoi ?

SCÈNE 2. PYRRHUS, ORESTE, PHŒNIX.

ORESTE

Avant que tous les Grecs vous parlent par ma voix,
Souffrez que j'ose ici me flatter de leur choix,
145 Et qu'à vos yeux, Seigneur, je montre quelque joie
De voir le fils d'Achille et le vainqueur de Troie.
Oui, comme ses exploits nous admirons vos coups[1] :
Hector tomba sous lui[2], Troie expira sous vous ;
Et vous avez montré, par une heureuse audace,
150 Que le fils seul[3] d'Achille a pu remplir sa place.
Mais, ce qu'il n'eût point fait, la Grèce avec douleur
Vous voit du sang troyen relever le malheur[4],
Et vous laissant toucher d'une pitié funeste,
D'une guerre si longue entretenir le reste[5].
155 Ne vous souvient-il plus[6], Seigneur, quel fut Hector ?
Nos peuples affaiblis s'en souviennent encor.
Son nom seul fait frémir nos veuves et nos filles,
Et dans toute la Grèce il n'est point de familles
Qui ne demandent compte à ce malheureux fils
160 D'un père ou d'un époux qu'Hector leur a ravis.
Et qui sait ce qu'un jour ce fils peut entreprendre ?
Peut-être dans nos ports nous le verrons descendre,
Tel qu'on a vu son père embraser nos vaisseaux,
Et, la flamme à la main, les suivre sur les eaux[7].

---

1. *Coups* : combats, victoires, exploits.
2. *Hector tomba sous lui* : Hector fut vaincu par lui.
3. *Que le fils seul* : interversion de l'adjectif, admise par la syntaxe de l'époque, et qui a pour effet de souligner la valeur de cet adjectif.
4. *Relever le malheur* : réparer ce que les Troyens ont subi, leur redonner une chance.
5. *Entretenir le reste* : garder en vie celui qui a survécu.
6. *Ne vous souvient-il plus* : ne vous souvenez-vous pas.
7. *Les suivre sur les eaux* : Hector avait lancé, durant le siège de Troie, une opération contre la flotte des Grecs, en s'avançant à bord de barques rapides, pour incendier les navires.

Oreste (Hervé Bellon) et Pyrrhus (Pierre Sabrice).
Mise en scène de Marcelle Tassencourt.
Festival de Versailles, 1983-1984.

165 Oserai-je, Seigneur, dire ce que je pense ?
Vous-même de vos soins craignez la récompense[1],
Et que dans votre sein ce serpent élevé
Ne vous punisse un jour de l'avoir conservé[2].
Enfin de tous les Grecs satisfaites l'envie,
170 Assurez leur vengeance, assurez votre vie ;
Perdez un ennemi d'autant plus dangereux
Qu'il s'essaiera sur vous à combattre contre eux.

---

1. *Récompense :* ce qui sera donné en retour (que ce soit positif ou négatif).
2. *Conservé :* préservé, gardé en vie.

PYRRHUS

La Grèce en ma faveur est trop inquiétée.
De soins plus importants je l'ai crue agitée,
175 Seigneur, et sur le nom de son ambassadeur,
J'avais dans ses projets conçu plus de grandeur.
Qui croirait en effet qu'une telle entreprise
Du fils d'Agamemnon méritât l'entremise ;
Qu'un peuple tout entier, tant de fois triomphant,
180 N'eût daigné conspirer que la mort d'un enfant ?
Mais à qui prétend-on que je le sacrifie ?
La Grèce a-t-elle encor quelque droit sur sa vie ?
Et seul de tous les Grecs ne m'est-il pas permis
D'ordonner[1] d'un captif que le sort m'a soumis ?
185 Oui, Seigneur, lorsqu'au pied des murs fumants de Troie
Les vainqueurs tout sanglants partagèrent leur proie,
Le sort, dont les arrêts[2] furent alors suivis,
Fit tomber en mes mains Andromaque et son fils.
Hécube près d'Ulysse acheva sa misère ;
190 Cassandre dans Argos a suivi votre père ;
Sur eux, sur leurs captifs, ai-je étendu mes droits ?
Ai-je enfin disposé du fruit de leurs exploits ?
On craint qu'avec Hector Troie un jour ne renaisse ;
Son fils peut me ravir le jour que je lui laisse :
195 Seigneur, tant de prudence[3] entraîne trop de soin ;
Je ne sais point prévoir les malheurs de si loin.
Je songe quelle était autrefois cette ville
Si superbe en remparts, en héros si fertile,
Maîtresse de l'Asie ; et je regarde enfin
200 Quel fut le sort de Troie, et quel est son destin[4].
Je ne vois que des tours que la cendre a couvertes,

---

1. *Ordonner* : décider.
2. *Arrêts* : décisions (les prisonniers étaient partagés entre les vainqueurs par tirage au sort).
3. *Prudence* : souci de prévoir le futur (comparez avec le mot « providence »).
4. *Sort ... destin* : le sort concerne ici le passé, et le destin, le futur.

Un fleuve[1] teint de sang, des campagnes désertes,
Un enfant dans les fers ; et je ne puis songer
Que Troie en cet état aspire à se venger.
205 Ah ! si du fils d'Hector la perte était jurée,
Pourquoi d'un an entier l'avons-nous différée ?
Dans le sein de Priam[2] n'a-t-on pu[3] l'immoler ?
Sous tant de morts, sous Troie, il fallait l'accabler[4].
Tout était juste alors : la vieillesse et l'enfance
210 En vain sur leur faiblesse appuyaient leur défense[5] ;
La victoire et la nuit, plus cruelles que nous,
Nous excitaient au meurtre, et confondaient nos coups.
Mon courroux aux vaincus ne fut que trop sévère.
Mais que ma cruauté survive à ma colère ?
215 Que malgré la pitié dont je me sens saisir,
Dans le sang d'un enfant je me baigne à loisir[6] ?
Non, Seigneur : que les Grecs cherchent quelque autre proie ;
Qu'ils poursuivent ailleurs ce qui reste de Troie :
De mes inimitiés le cours est achevé ;
220 L'Épire sauvera ce que Troie a sauvé.

ORESTE

Seigneur, vous savez trop avec quel artifice
Un faux Astyanax fut offert au supplice
Où le seul fils d'Hector devait être conduit.
Ce n'est pas les Troyens, c'est Hector qu'on poursuit.
225 Oui, les Grecs sur le fils persécutent[7] le père ;

---

1. *Un fleuve* : le Scamandre, fleuve qui arrosait la ville.
2. *Dans le sein de Priam* : dans les bras de Priam (grand-père d'Astyanax) qui fut mis à mort lors de la prise de Troie.
3. *N'a-t-on pu* : en français classique, il était toléré d'employer l'indicatif là où aujourd'hui on emploierait le conditionnel passé (« n'aurait-on pu »).
4. *Accabler* : frapper à mort, écraser.
5. *Appuyaient leur défense* : cherchaient des arguments pour demander de la pitié.
6. *À loisir* : de sang-froid.
7. *Persécutent* : poursuivent avec acharnement.

Il a par trop de sang acheté[1] leur colère,
Ce n'est que dans le sien qu'elle peut expirer,
Et jusque dans l'Épire il les peut attirer.
Prévenez-les[2].

PYRRHUS

Non, non. J'y consens avec joie !
230 Qu'ils cherchent dans l'Épire une seconde Troie ;
Qu'ils confondent leur haine, et ne distinguent plus
Le sang qui les fit vaincre et celui des vaincus.
Aussi bien ce n'est pas la première injustice
Dont la Grèce d'Achille a payé le service[3].
235 Hector en profita[4], Seigneur ; et quelque jour
Son fils en pourrait bien profiter à son tour.

ORESTE

Ainsi la Grèce en vous trouve un enfant rebelle ?

PYRRHUS

Et je n'ai donc vaincu que pour dépendre d'elle ?

ORESTE

Hermione, Seigneur, arrêtera vos coups :
240 Ses yeux s'opposeront[5] entre son père et vous.

---

1. *Acheté* : ici, mérité.
2. *Prévenez-les* : prenez les devants, n'attendez pas qu'ils lancent une expédition pour s'emparer de l'enfant en faisant la guerre au royaume d'Épire.
3. *Le service* : l'aide ; Achille était l'allié des Grecs contre Troie, mais Agamemnon, chef des Grecs — et père d'Oreste —, priva Achille d'une prisonnière qui lui revenait ; Achille refusa alors, pendant un temps, de continuer à prendre part à la guerre ; cet épisode fait la matière de *l'Iliade* (voir p. 167 et 178).
4. *En profita* : le mit à profit (pendant qu'Achille refusait de combattre, Hector remporta plusieurs victoires sur les Grecs).
5. *Ses yeux s'opposeront* : en langage galant, « yeux » désigne l'ensemble de la personne d'une femme, et sa beauté. Donc, l'amour que Pyrrhus doit éprouver pour Hermione, sa fiancée, fille de Ménélas, un des principaux rois grecs, empêchera qu'il s'engage dans une guerre contre ces derniers.

PYRRHUS

Hermione, Seigneur, peut m'être toujours chère,
Je puis l'aimer, sans être esclave de son père ;
Et je saurai peut-être accorder quelque jour
Les soins de ma grandeur et ceux de mon amour.
245 Vous pouvez cependant voir la fille d'Hélène :
Du sang qui vous unit je sais l'étroite chaîne[1].
Après cela, Seigneur, je ne vous retiens plus,
Et vous pourrez aux Grecs annoncer mon refus.

---

1. *Chaîne :* Hermione et Oreste étaient cousins germains, puisque les rois Ménélas et Agamemnon étaient frères.

Acte I Scène 2

UNE ÉTRANGE AMBASSADE

1. De quel personnage Oreste parle-t-il le plus ? dans quels vers ? pourquoi ?

2. De quel État Pyrrhus parle-t-il le plus ? dans quels vers ? pourquoi ?

3. Quel effet produisent les vers 237 - 238 ? Peut-il y avoir ensuite autre chose qu'une rupture ? Justifiez votre réponse.

4. Faisons un bilan : Oreste a-t-il suivi les conseils de Pylade ? Avec le refus de Pyrrhus, à quels événements le spectateur peut-il s'attendre ?

THÉÂTRE ET ART RHÉTORIQUE

5. La tirade d'Oreste : quel est le thème des vers 143 à 150 ? celui des vers 151 à 164 ? celui des vers 165 à 172 ? Définissez chacun de ces thèmes en une phrase, puis dégagez le plan de la tirade. Vous pouvez faire ce récapitulatif sous forme de tableau avec les thèmes en ordonnées et les différentes parties de la tirade en abscisses.

6. Faites de même avec la tirade de Pyrrhus (v. 173 à 220). Comparez les deux plans ainsi obtenus : qu'en concluez-vous ?

7. Pyrrhus et Oreste se laissent-ils guider par les sentiments dont ils parlent, ou leurs discours sont-ils calculés ? Sont-ils sincères ou pas ? lequel des deux l'est le plus ? Justifiez votre réponse en vous appuyant sur le texte.

SCÈNE 3.   PYRRHUS, PHŒNIX.

PHŒNIX

Ainsi vous l'envoyez aux pieds de sa maîtresse ?

PYRRHUS

250 On dit qu'il a longtemps brûlé pour la princesse.

PHŒNIX

Mais si ce feu, Seigneur, vient à se rallumer ?
S'il lui rendait son cœur, s'il s'en faisait aimer ?

PYRRHUS

Ah ! qu'ils s'aiment, Phœnix ! J'y consens. Qu'elle parte.
Que charmés l'un de l'autre ils retournent à Sparte !
255 Tous nos ports sont ouverts et pour elle et pour lui.
Qu'elle m'épargnerait de contrainte et d'ennui !

PHŒNIX

Seigneur...

PYRRHUS

           Une autre fois je t'ouvrirai mon âme :
Andromaque paraît.

SCÈNE 4.   PYRRHUS, ANDROMAQUE, PHŒNIX,
CÉPHISE.

PYRRHUS

           Me cherchiez-vous, Madame ?
Un espoir si charmant me serait-il permis ?

ANDROMAQUE

260 Je passais jusqu'aux lieux où l'on garde mon fils.
Puisqu'une fois le jour vous souffrez que je voie
Le seul bien qui me reste et d'Hector et de Troie,
J'allais, Seigneur, pleurer un moment avec lui :
Je ne l'ai point encore embrassé d'aujourd'hui.

PYRRHUS

265 Ah, Madame ! les Grecs, si j'en crois leurs alarmes,
Vous donneront bientôt d'autres sujets de larmes.

ANDROMAQUE

Et quelle est cette peur dont leur cœur est frappé,
Seigneur ? Quelque Troyen vous est-il échappé ?

PYRRHUS

Leur haine pour Hector n'est pas encore éteinte.
270 Ils redoutent son fils.

Andromaque (Catherine Sellers).
Mise en scène de J.-L. Barrault. Théâtre de l'Odéon, 1962.

ANDROMAQUE

Digne objet de leur crainte !
Un enfant malheureux qui ne sait pas encor
Que Pyrrhus est son maître, et qu'il est fils d'Hector.

PYRRHUS

Tel qu'il est, tous les Grecs demandent qu'il périsse.
Le fils d'Agamemnon vient hâter son supplice.

ANDROMAQUE

275 Et vous prononcerez un arrêt si cruel ?
Est-ce mon intérêt[1] qui le rend criminel ?
Hélas ! on ne craint point qu'il venge un jour son père ;
On craint qu'il n'essuyât les larmes de sa mère.
Il m'aurait tenu lieu d'un père et d'un époux[2] ;
280 Mais il me faut tout perdre, et toujours par vos coups.

PYRRHUS

Madame, mes refus ont prévenu[3] vos larmes.
Tous les Grecs m'ont déjà menacé de leurs armes,
Mais dussent-ils encore, en repassant les eaux,
Demander votre fils avec mille vaisseaux,
285 Coûtât-il tout le sang qu'Hélène a fait répandre,
Dussé-je après dix ans voir mon palais en cendre,
Je ne balance point, je vole à son secours.
Je défendrai sa vie aux dépens de mes jours.
Mais parmi ces périls où je cours pour vous plaire,
290 Me refuserez-vous un regard moins sévère ?
Haï de tous les Grecs, pressé de tous côtés,
Me faudra-t-il combattre encor vos cruautés ?
Je vous offre mon bras. Puis-je espérer encore
Que vous accepterez un cœur qui vous adore ?

---

1. *Mon intérêt* : ce qui me concerne (est-ce à cause de moi...).
2. Achille, père de Pyrrhus, avait tué le père d'Andromaque (Eétion),
puis Hector, son mari.
3. *Prévenu* : devancé (voir v. 229).

295 En combattant pour vous, me sera-t-il permis
De ne vous point compter parmi mes ennemis ?

ANDROMAQUE

Seigneur, que faites-vous, et que dira la Grèce ?
Faut-il qu'un si grand cœur montre tant de faiblesse ?
Voulez-vous qu'un dessein si beau, si généreux,
300 Passe pour le transport d'un esprit amoureux ?
Captive, toujours triste, importune à moi-même[1],
Pouvez-vous souhaiter qu'Andromaque vous aime ?
Quels charmes ont pour vous des yeux infortunés
Qu'à des pleurs éternels vous avez condamnés ?
305 Non, non, d'un ennemi respecter la misère,
Sauver des malheureux, rendre un fils à sa mère,
De cent peuples[2] pour lui combattre la rigueur,
Sans me faire payer son salut de mon cœur,
Malgré moi, s'il le faut, lui donner un asile :
310 Seigneur, voilà des soins dignes du fils d'Achille.

PYRRHUS

Hé quoi ! votre courroux n'a-t-il pas eu son cours[3] ?
Peut-on haïr sans cesse ? et punit-on toujours ?
J'ai fait des malheureux, sans doute ; et la Phrygie
Cent fois de votre sang a vu ma main rougie ;
315 Mais que vos yeux sur moi se sont bien exercés[4] !
Qu'ils m'ont vendu bien cher les pleurs qu'ils ont versés !
De combien de remords m'ont-ils rendu la proie !
Je souffre tous les maux que j'ai faits devant Troie.
Vaincu, chargé de fers, de regrets consumé,

---

1. Rupture de la syntaxe (l'apposition se rapporte au complément, et non pas au sujet, comme le voudrait la grammaire) destinée à exprimer l'état de trouble où se trouve Andromaque.
2. *Cent peuples* : la Grèce était alors composée d'une multitude de petits États indépendants (voir p. 32 et 34).
3. *N'a-t-il ... cours* : n'a-t-il pas eu assez de temps pour s'écouler ?
4. *Se sont ... exercés* : ont agi, en particulier pour faire souffrir.

320 Brûlé de plus de feux[1] que je n'en allumai,
Tant de soins, tant de pleurs, tant d'ardeurs inquiètes...
Hélas ! fus-je jamais si cruel que vous l'êtes ?
Mais enfin, tour à tour, c'est assez nous punir :
Nos ennemis communs devraient nous réunir.
325 Madame, dites-moi seulement que j'espère,
Je vous rends votre fils, et je lui sers de père ;
Je l'instruirai moi-même à venger les Troyens ;
J'irai punir les Grecs de vos maux et des miens.
Animé d'un regard[2], je puis tout entreprendre :
330 Votre Ilion encor peut sortir de sa cendre ;
Je puis, en moins de temps que les Grecs ne l'ont pris,
Dans ses murs relevés couronner votre fils.

ANDROMAQUE

Seigneur, tant de grandeurs ne nous touchent plus guère.
Je les lui promettais tant qu'a vécu son père.
335 Non, vous n'espérez plus de nous revoir encor,
Sacrés murs que n'a pu conserver mon Hector !
À de moindres faveurs des malheureux prétendent,
Seigneur : c'est un exil que mes pleurs vous demandent.
Souffrez que, loin des Grecs, et même loin de vous,
340 J'aille cacher mon fils, et pleurer mon époux.
Votre amour contre nous allume trop de haine.
Retournez, retournez à la fille d'Hélène.

PYRRHUS

Et le puis-je, Madame ? Ah ! que vous me gênez[3] !
Comment lui rendre un cœur que vous me retenez ?

---

1. *Feux* : ce mot est pris ici une fois dans son sens propre (Troie a
été incendiée par Pyrrhus) et une fois dans son sens figuré (voir
p. 38 et 229). La phrase forme donc une « pointe » (formule à double
sens) comme les aimait le langage galant ; cette formule est inspirée
d'un passage d'un roman grec d'Héliodore, *Théagène et Chariclée* (IIIe
ou IVe siècle apr. J.-C.).
2. *Animé d'un regard* : encouragé par un regard favorable de vous.
3. *Gênez* : en français classique, « gêne » signifie d'abord « torture ».

345 Je sais que de mes vœux on lui promit l'empire ;
Je sais que pour régner elle vint dans l'Épire :
Le sort vous y voulut l'une et l'autre amener :
Vous, pour porter des fers[1], elle, pour en donner.
Cependant ai-je pris quelque soin de lui plaire ?
350 Et ne dirait-on pas, en voyant au contraire
Vos charmes tout-puissants, et les siens dédaignés,
Qu'elle est ici captive[2] et que vous y régnez ?
Ah ! qu'un seul des soupirs que mon cœur vous envoie,
S'il s'échappait vers elle y porterait de joie.

ANDROMAQUE

355 Et pourquoi vos soupirs seraient-ils repoussés ?
Aurait-elle oublié vos services passés ?
Troie, Hector, contre vous, révoltent-ils son âme ?
Aux cendres[3] d'un époux doit-elle enfin sa flamme ?
Et quel époux encore ! Ah ! souvenir cruel !
360 Sa mort seule a rendu votre père immortel ;
Il doit au sang d'Hector tout l'éclat de ses armes,
Et vous n'êtes tous deux connus que par mes larmes.

PYRRHUS

Eh bien, Madame, eh bien ! il faut vous obéir :
Il faut vous oublier, ou plutôt vous haïr.
365 Oui, mes vœux ont trop loin poussé leur violence
Pour ne plus s'arrêter que dans l'indifférence[4] ;
Songez-y bien : il faut désormais que mon cœur,

---

1. *Fers* : voir le vers 32 ; voir aussi le vers 320 où, comme ici, un mot est pris une fois au sens propre et une fois au sens figuré.
2. *Captive* : suite des mêmes métaphores galantes et jeux de mots qu'au vers 348 ; Andromaque est vraiment « captive » (prisonnière), mais elle tient Pyrrhus dans ses « fers » (il l'aime), tandis qu'Hermione est comme prisonnière, « captive » de Pyrrhus (puisqu'elle l'aime).
3. *Cendres* : corps, dépouille mortelle.
4. *Oui, mes vœux ... dans l'indifférence* : les « vœux » (désirs amoureux) de Pyrrhus ont atteint une passion si forte qu'ils ne peuvent désormais se changer en indifférence.

S'il n'aime avec transport, haïsse avec fureur.
Je n'épargnerai rien dans ma juste colère :
370 Le fils me répondra[1] des mépris de la mère ;
La Grèce le demande, et je ne prétends pas
Mettre toujours ma gloire à sauver des ingrats.

ANDROMAQUE

Hélas ! il mourra donc. Il n'a pour sa défense
Que les pleurs de sa mère et que son innocence.
375 Et peut-être après tout, en l'état où je suis,
Sa mort avancera la fin de mes ennuis.
Je prolongeais pour lui ma vie et ma misère ;
Mais enfin sur ses pas j'irai revoir son père.
Ainsi, tous trois, Seigneur, par vos soins réunis,
380 Nous vous...

PYRRHUS

Allez, Madame, allez voir votre fils.
Peut-être, en le voyant, votre amour plus timide[2]
Ne prendra pas toujours sa colère pour guide.
Pour savoir nos destins j'irai vous retrouver.
Madame, en l'embrassant, songez à le sauver.

---

1. *Répondra :* sera tenu pour responsable, paiera le prix.
2. *Timide :* au sens premier, qui s'effraye.

Acte I Scène 4

GALANTERIE ET VIOLENCE

1. Quel est le ton des vers 258 - 259 ? Comparez avec le ton qu'avait Pyrrhus auparavant.

2. Comment Pyrrhus annonce-t-il à Andromaque l'information principale ? Pourquoi ?

3. En vous aidant du lexique de la page 37, relevez les mots ou expressions du langage amoureux, dans les vers 311 à 332. Comment apparaît Pyrrhus à ce moment-là ?

4. Dans ses deux dernières répliques (v. 363 à 372 et v. 380 à 384), quel est le ton de Pyrrhus ? Comparez avec les conclusions auxquelles vous avez abouti en répondant à la question 3.

LA SITUATION D'ANDROMAQUE ET LE NŒUD DE L'ACTION

5. Quel vocabulaire emploie Andromaque dans les premiers vers qu'elle prononce ? Sur quel ton parle-t-elle ? Quelle impression est ainsi donnée tout de suite aux spectateurs ?

6. À quels sentiments de Pyrrhus Andromaque fait-elle appel ? Que lui demande-t-elle ? Pourquoi lui dit-elle d'aller vers Hermione ? Justifiez votre réponse en vous appuyant sur le texte.

7. Quelles questions le spectateur peut-il se poser sur la suite des événements à la fin de cette scène ? Comparez avec celles qui se posaient à la fin de la scène précédente.

Acte II

SCÈNE 1. HERMIONE, CLÉONE.

HERMIONE

385 Je fais ce que tu veux ; je consens qu'il me voie.
Je lui veux bien encore accorder cette joie.
Pylade va bientôt conduire ici ses pas ;
Mais si je m'en croyais, je ne le verrais pas.

CLÉONE

Et qu'est-ce que sa vue a pour vous de funeste ?
390 Madame, n'est-ce pas toujours le même Oreste
Dont vous avez cent fois souhaité le retour,
Et dont vous regrettiez la constance et l'amour ?

HERMIONE

C'est cet amour payé de trop d'ingratitude
Qui me rend en ces lieux sa présence si rude[1].
395 Quelle honte pour moi, quel triomphe pour lui,
De voir mon infortune égaler son ennui !
Est-ce là, dira-t-il, cette fière Hermione ?
Elle me dédaignait ; un autre l'abandonne.
L'ingrate, qui mettait son cœur à si haut prix,
400 Apprend donc à son tour à souffrir des mépris ?
Ah ! dieux !

CLÉONE

Ah ! dissipez ces indignes alarmes :
Il a trop bien senti le pouvoir de vos charmes.
Vous croyez qu'un amant vienne[2] vous insulter[3] ?

---

1. *Rude :* au sens premier, pénible, difficilement supportable.
2. *Vienne :* le subjonctif équivaut ici à un conditionnel, pour indiquer que ce qui suit n'est qu'une hypothèse, un irréel.
3. *Insulter :* faire injure, sans que ce soit forcément par des mots.

Il vous rapporte un cœur qu'il n'a pu vous ôter.
405 Mais vous ne dites point ce que vous mande un père ?

HERMIONE

Dans ses retardements[1] si Pyrrhus persévère,
À la mort du Troyen s'il ne veut consentir,
Mon père avec les Grecs m'ordonne de partir.

CLÉONE

Eh bien, Madame, eh bien ! écoutez donc Oreste.
410 Pyrrhus a commencé, faites au moins le reste.
Pour bien faire il faudrait que vous le prévinssiez[2].
Ne m'avez-vous pas dit que vous le haïssiez ?

HERMIONE

Si je le hais, Cléone ! Il y va de ma gloire[3],
Après tant de bontés dont il perd la mémoire ;
415 Lui qui me fut si cher, et qui m'a pu trahir,
Ah ! je l'ai trop aimé pour ne le point haïr !

CLÉONE

Fuyez-le donc, Madame ; et puisqu'on vous adore...

HERMIONE

Ah ! laisse à ma fureur le temps de croître encore.
Contre mon ennemi laisse-moi m'assurer[4].
420 Cléone, avec horreur je m'en veux séparer.
Il n'y travaillera que trop bien, l'infidèle !

CLÉONE

Quoi ? vous en attendez quelque injure nouvelle ?

---

1. *Retardements :* délais (que Pyrrhus met à épouser Hermione).
2. *Pour bien faire ... prévinssiez :* Hermione devrait prendre l'initiative de rompre au lieu d'attendre que Pyrrhus lui annonce la rupture de leurs fiançailles (voir le vers 229).
3. *Gloire :* l'honneur, la réputation.
4. *M'assurer :* prendre toutes mes précautions (Hermione veut que ses sentiments hostiles se renforcent encore).

Aimer une captive, et l'aimer à vos yeux[1],
Tout cela n'a donc pu vous le rendre odieux ?
425 Après ce qu'il a fait, que saurait-il donc faire ?
Il vous aurait déplu, s'il pouvait vous déplaire.

HERMIONE

Pourquoi veux-tu, cruelle, irriter mes ennuis ?
Je crains de me connaître en l'état où je suis.
De tout ce que tu vois tâche de ne rien croire ;
430 Crois que je n'aime plus, vante-moi ma victoire ;
Crois que dans son dépit mon cœur est endurci,
Hélas ! et, s'il se peut, fais-le-moi croire aussi.
Tu veux que je le fuie ? Eh bien ! rien ne m'arrête :
Allons ; n'envions plus son indigne conquête :
435 Que sur lui sa captive étende son pouvoir.
Fuyons... Mais si l'ingrat rentrait dans son devoir !
Si la foi dans son cœur retrouvait quelque place ;
S'il venait à mes pieds me demander sa grâce ;
Si sous mes lois, Amour, tu pouvais l'engager !
440 S'il voulait... Mais l'ingrat ne veut que m'outrager.
Demeurons toutefois pour troubler leur fortune,
Prenons quelque plaisir à leur être importune,
Ou, le forçant de[2] rompre un nœud si solennel,
Aux yeux de tous les Grecs rendons-le criminel.
445 J'ai déjà sur le fils attiré leur colère ;
Je veux qu'on vienne encor lui demander la mère.
Rendons-lui les tourments qu'elle m'a fait souffrir :
Qu'elle le perde[3], ou bien qu'il la fasse périr.

CLÉONE

Vous pensez que des yeux toujours ouverts aux larmes
450 Se plaisent à troubler le pouvoir de vos charmes,

---

1. *À vos yeux* : devant vous, sous vos yeux.
2. *De* : cette préposition, à l'époque, s'employait dans toutes sortes
de cas, comme ici où elle remplace « à ».
3. *Qu'elle le perde* : qu'elle soit la cause de sa perte, de la guerre et
de la défaite de Pyrrhus.

Et qu'un cœur accablé de tant de déplaisirs
De son persécuteur ait brigué les soupirs ?
Voyez si sa douleur en paraît soulagée.
Pourquoi donc les chagrins où son âme est plongée ?
455 Contre un amant qui plaît pourquoi tant de fierté ?

HERMIONE

Hélas ! pour mon malheur, je l'ai trop écouté[1].
Je n'ai point du silence affecté le mystère :
Je croyais sans péril pouvoir être sincère,
Et sans armer mes yeux d'un moment de rigueur,
460 Je n'ai pour lui parler consulté que mon cœur.
Et qui ne se serait comme moi déclarée
Sur la foi d'une amour[2] si saintement jurée ?
Me voyait-il de l'œil qu'il me voit[3] aujourd'hui ?
Tu t'en souviens encor, tout conspirait pour lui :
465 Ma famille vengée, et les Grecs dans la joie,
Nos vaisseaux tout chargés des dépouilles de Troie,
Les exploits de son père effacés par les siens,
Ses feux que je croyais plus ardents que les miens,
Mon cœur, toi-même enfin de sa gloire éblouie,
470 Avant qu'il me trahît, vous m'avez tous trahie.
Mais c'en est trop, Cléone, et quel que soit Pyrrhus,
Hermione est sensible, Oreste a des vertus ;
Il sait aimer du moins, et même sans qu'on l'aime,
Et peut-être il saura se faire aimer lui-même.
475 Allons : qu'il vienne enfin.

CLÉONE
Madame, le voici.

HERMIONE

Ah ! je ne croyais pas qu'il fût si près d'ici.

---

1. *Je l'ai trop écouté* : j'ai trop écouté Pyrrhus.
2. *Une amour* : ce mot s'employait au XVIIe siècle tantôt au féminin
(comme en ancien français), tantôt au masculin.
3. *Qu'il me voit* : avec lequel il me voit.

Acte II Scène 1

L'ENTRÉE EN JEU D'HERMIONE

1. Un élément nouveau : Hermione a reçu, par les mêmes bateaux qui ont amené Oreste et sa suite, une lettre de son père (v. 405) : quelle information nouvelle le spectateur apprend-il là ? Quelles peuvent en être les conséquences ?

2. Quel est le genre de mots qu'Hermione emploie le plus : des mots d'action ou de sentiment ? des termes positifs ou négatifs ? Quelle image cela donne-t-il de son personnage ?

3. Comment comprenez-vous les vers 445 à 448 ? Quelle facette du personnage se révèle là ?

LE SPECTATEUR ET LE PERSONNAGE

4. Qui en sait le plus sur l'état des négociations et des décisions : Hermione, ou le public ? Cela rend-il le personnage plus pathétique (voir p. 228) ou plus antipathique ?

5. Analysez les vers 436 et 440 : que remarquez-vous ? Qu'est-ce que ces paroles révèlent ?

6. Vers 471 à 475 : Hermione peut-elle être crue sincère ? Pourquoi ?

7. Vers 476 : que révèle cette exclamation ? Quel rapport a-t-elle avec les propos précédents d'Hermione ? Quel effet cela produit-il pour le public ?

SCÈNE 2.   HERMIONE, ORESTE, CLÉONE.

HERMIONE

Le croirai-je, Seigneur, qu'un reste de tendresse
Vous fasse ici chercher une triste princesse ?
Ou ne dois-je imputer qu'à votre seul devoir
480 L'heureux empressement qui vous porte à me voir ?

ORESTE

Tel est de mon amour l'aveuglement funeste,
Vous le savez, Madame, et le destin d'Oreste
Est de venir sans cesse adorer vos attraits,
Et de jurer toujours qu'il n'y viendra jamais.
485 Je sais que vos regards vont rouvrir mes blessures,
Que tous mes pas vers vous sont autant de parjures[1] :
Je le sais, j'en rougis ; mais j'atteste les dieux,
Témoins de la fureur de mes derniers adieux,
Que j'ai couru partout où ma perte certaine[2]
490 Dégageait mes serments et finissait ma peine.
J'ai mendié la mort chez des peuples cruels
Qui n'apaisaient leurs dieux que du sang des mortels :
Ils m'ont fermé leur temple ; et ces peuples barbares
De mon sang prodigué[3] sont devenus avares[4].
495 Enfin je viens à vous, et je me vois réduit
À chercher dans vos yeux une mort qui me fuit.
Mon désespoir n'attend que leur indifférence,
Ils n'ont qu'à m'interdire un reste d'espérance,
Ils n'ont, pour avancer cette mort où je cours,

---

1. *Parjures* : actes par lesquels on trahit un serment qu'on a fait.
2. *Où ma perte certaine* : où la certitude de mourir semblait évidente.
3. *Prodigué* : tournure très condensée, imitée de la syntaxe latine ;
Oreste aurait volontiers voulu qu'on versât son sang, puisqu'il souhaitait
mourir.
4. *Avares* : qui gardent, qui conservent ; « ces peuples ... avares »
désignent ici ceux qui ont épargné le sang d'Oreste.

Oreste (Richard Berry) et Hermione (Miou-Miou).
Mise en scène de Roger Planchon.
T.N.P. de Lyon, 1989.

500 Qu'à me dire une fois[1] ce qu'ils m'ont dit toujours.
Voilà, depuis un an, le seul soin qui m'anime.
Madame, c'est à vous de prendre une victime
Que les Scythes[2] auraient dérobée à vos coups
Si j'en avais trouvé d'aussi cruels que vous.

HERMIONE

505 Quittez[3], Seigneur, quittez ce funeste langage.
À des soins plus pressants la Grèce vous engage.
Que parlez-vous du Scythe et de mes cruautés ?
Songez à tous ces rois que vous représentez.
Faut-il que d'un transport leur vengeance dépende ?
510 Est-ce le sang d'Oreste enfin qu'on vous demande ?
Dégagez-vous des soins dont vous êtes chargé[4].

ORESTE

Les refus de Pyrrhus m'ont assez dégagé,
Madame : il me renvoie ; et quelque autre puissance
Lui fait du fils d'Hector embrasser la défense.

HERMIONE

515 L'infidèle !

ORESTE

Ainsi donc, tout prêt à le quitter,
Sur mon propre destin je viens vous consulter.
Déjà même je crois entendre la réponse
Qu'en secret contre moi votre haine prononce.

HERMIONE

Hé quoi ? toujours injuste en vos tristes discours,
520 De mon inimitié vous plaindrez-vous toujours ?
Quelle est cette rigueur tant de fois alléguée ?

---

1. *Une fois* : une fois de plus.
2. *Scythes* : peuple vivant au nord de la mer Noire.
3. *Quittez* : abandonnez, n'employez plus.
4. *Dégagez-vous ... chargé* : accomplissez votre mission.

J'ai passé dans l'Épire où j'étais reléguée[1] :
Mon père l'ordonnait ; mais qui sait si depuis
Je n'ai point en secret partagé vos ennuis ?
525 Pensez-vous avoir seul éprouvé des alarmes ;
Que l'Épire jamais n'ait vu couler mes larmes ?
Enfin, qui vous a dit que malgré mon devoir
Je n'ai pas quelquefois souhaité de vous voir ?

ORESTE

Souhaité de me voir ! Ah ! divine Princesse...
530 Mais, de grâce, est-ce à moi que ce discours s'adresse ?
Ouvrez vos yeux : songez qu'Oreste est devant vous,
Oreste, si longtemps l'objet de leur courroux.

HERMIONE

Oui, c'est vous dont l'amour, naissant avec leurs charmes,
Leur apprit le premier le pouvoir de leurs armes[2] ;
535 Vous que mille vertus me forçaient d'estimer ;
Vous que j'ai plaint, enfin que je voudrais aimer.

ORESTE

Je vous entends[3]. Tel est mon partage funeste :
Le cœur est pour Pyrrhus, et les vœux pour Oreste.

HERMIONE

Ah ! ne souhaitez pas le destin de Pyrrhus :
540 Je vous haïrais trop.

ORESTE

Vous m'en aimeriez plus.
Ah ! que vous me verriez d'un regard bien contraire !
Vous me voulez aimer, et je ne puis vous plaire ;
Et l'amour seul alors se faisant obéir,

---

1. *Reléguée* : obligée d'aller.
2. *Armes* : métaphore galante, où les yeux sont implicitement comparés à des arcs qui, selon la tradition, tiraient des flèches blessant le cœur de celui qui devenait amoureux.
3. *Entends* : comprends.

Vous m'aimeriez, Madame, en me voulant haïr.
545 Ô dieux ! tant de respects, une amitié si tendre...
Que de raisons pour moi[1], si vous pouviez m'entendre !
Vous seule pour Pyrrhus disputez[2] aujourd'hui,
Peut-être malgré vous, sans doute malgré lui :
Car enfin il vous hait ; son âme ailleurs éprise
550 N'a plus...

HERMIONE

Qui vous l'a dit, Seigneur, qu'il me méprise ?
Ses regards, ses discours vous l'ont-ils donc appris ?
Jugez-vous que ma vue inspire des mépris,
Qu'elle allume en un cœur des feux si peu durables ?
Peut-être d'autres yeux me sont plus favorables.

ORESTE

555 Poursuivez : il est beau de m'insulter[3] ainsi.
Cruelle, c'est donc moi qui vous méprise ici ?
Vos yeux n'ont pas assez éprouvé[4] ma constance ?
Je suis donc un témoin de leur peu de puissance ?
Je les ai méprisés ? Ah ! qu'ils voudraient bien voir
560 Mon rival comme moi mépriser leur pouvoir !

HERMIONE

Que m'importe, Seigneur, sa haine ou sa tendresse ?
Allez contre un rebelle armer toute la Grèce ;
Rapportez-lui le prix de sa rébellion ;
Qu'on fasse de l'Épire un second Ilion.
565 Allez. Après cela direz-vous que je l'aime ?

ORESTE

Madame, faites plus, et venez-y vous-même.
Voulez-vous demeurer pour otage en ces lieux ?

---

1. *Pour moi :* en ma faveur.
2. *Disputez :* argumentez (sens premier).
3. *Insulter :* avoir une attitude blessante.
4. *Éprouvé :* mis à l'épreuve.

Venez dans tous les cœurs faire parler vos yeux[1].
Faisons de notre haine une commune attaque.

HERMIONE

570   Mais, Seigneur, cependant[2], s'il épouse Andromaque ?

ORESTE

Hé, Madame !

HERMIONE

        Songez quelle honte pour nous,
Si d'une Phrygienne il devenait l'époux !

ORESTE

Et vous le haïssez ! Avouez-le, Madame,
L'amour n'est pas un feu qu'on renferme en une âme ;
575   Tout nous trahit, la voix, le silence, les yeux,
Et les feux[3] mal couverts n'en éclatent que mieux.

HERMIONE

Seigneur, je le vois bien, votre âme prévenue[4]
Répand sur mes discours le venin qui la tue,
Toujours dans mes raisons cherche quelque détour,
580   Et croit qu'en moi la haine est un effort d'amour.
Il faut donc m'expliquer ; vous agirez ensuite.
Vous savez qu'en ces lieux mon devoir m'a conduite ;
Mon devoir m'y retient ; et je n'en puis partir
Que[5] mon père ou Pyrrhus ne m'en fassent sortir.
585   De la part de mon père allez lui faire entendre
Que l'ennemi des Grecs ne peut être son gendre.

---

1. *Venez ... vos yeux :* venez émouvoir tous les Grecs de votre chagrin
(langage galant).
2. *Cependant :* pendant ce temps.
3. *Feux :* jeu sur ce mot ; Oreste fait référence à un dicton, où
« feu » est pris au sens premier (« les incendies mal éteints »), et
évoque en même temps le sens figuré.
4. *Prévenue :* qui a un préjugé.
5. *Que :* à moins que.

Du Troyen ou de moi faites-le décider[1] :
Qu'il songe qui des deux il veut rendre ou garder ;
Enfin qu'il me renvoie, ou bien qu'il vous le livre.
590 Adieu. S'il y consent, je suis prête à vous suivre.

---

1. *Du Troyen ... décider :* obligez-le à choisir entre les deux.

Acte II Scène 2

INTÉRÊT DRAMATIQUE DE LA SCÈNE

1. Quelle information nouvelle Hermione apprend-elle ici ? Quelle hypothèse envisage-t-elle alors ? Obéit-elle aux ordres qu'elle a reçus de son père (reportez-vous aux vers 406 à 408) ? Pourquoi ?

2. De quoi Oreste parle-t-il d'abord et le plus ? Pourquoi ?

3. Comment comprenez-vous le vers 480 ? les vers 533 à 536 ? Quels sont, d'après vous, les vrais sentiments d'Hermione envers Oreste ?

4. La dernière réplique d'Hermione (v. 577 à 590) : qu'exige-t-elle d'Oreste ? Pourquoi le renvoie-t-elle voir Pyrrhus ? A-t-elle besoin de plus de précisions pour obéir à son père ? Quelles sont les raisons qui la poussent à demander une confirmation de la décision de Pyrrhus ?

LE LAMENTO GALANT D'ORESTE

5. Quel est le sens exact du mot « lamento » ? En quoi s'applique-t-il bien au discours d'Oreste dans cette scène ?

6. Relevez les mots, expressions et métaphores qui parlent d'amour dans les vers 481 à 504. Classez-les dans un tableau, en distinguant les termes employés au sens propre et ceux qui sont employés au sens figuré. Que constatez-vous ?

7. Combien de temps a duré l'errance d'Oreste ? Depuis combien de temps était-il séparé de Pylade (reportez-vous à la scène 1 de l'acte I) ? Quels dangers a-t-il courus ? Comment comprenez-vous les vers 503 - 504 ?

8. La réaction d'Hermione : quel est le sens du vers 507 ?

9. Amour et haine (v. 537 à 560) : quelles sont, selon Oreste, les origines possibles des sentiments amoureux ? Lesquelles sont les plus fortes ? Quelle est la réaction d'Hermione ? Pourquoi Oreste se sent-il « insulté » (v. 555) ?

SCÈNE 3. ORESTE, *seul.*

Oui, oui, vous me suivrez, n'en doutez nullement ;
Je vous réponds déjà de son consentement.
Je ne crains pas enfin que Pyrrhus la retienne :
Il n'a devant les yeux que sa chère Troyenne ;
595 Tout autre objet le blesse[1] ; et peut-être aujourd'hui
Il n'attend qu'un prétexte à l'éloigner[2] de lui.
Nous n'avons qu'à parler : c'en est fait. Quelle joie
D'enlever à l'Épire une si belle proie !
Sauve tout ce qui reste et de Troie et d'Hector,
600 Garde son fils, sa veuve, et mille autres encor,
Épire : c'est assez qu'Hermione rendue
Perde[3] à jamais tes bords et ton prince de vue.
Mais un heureux destin le conduit en ces lieux.
Parlons. À tant d'attraits, Amour, ferme ses yeux !

SCÈNE 4. PYRRHUS, ORESTE, PHŒNIX.

PYRRHUS

605 Je vous cherchais, Seigneur. Un peu de violence
M'a fait de vos raisons combattre la puissance,
Je l'avoue ; et depuis que je vous ai quitté,
J'en ai senti la force et connu[4] l'équité.
J'ai songé, comme vous, qu'à la Grèce, à mon père,

---

1. *Tout ... blesse :* tout ce qu'il voit, sauf Andromaque, l'irrite.
2. *À l'éloigner :* pour éloigner Hermione.
3. *C'est assez qu'Hermione rendue perde... :* cela me satisfait si Hermione, restituée à Oreste, perd...
4. *Connu :* reconnu.

610 À moi-même, en un mot, je devenais contraire ;
Que je relevais Troie, et rendais imparfait
Tout ce qu'a fait Achille, et tout ce que j'ai fait.
Je ne condamne plus un courroux légitime,
Et l'on vous va, Seigneur, livrer votre victime.

ORESTE

615 Seigneur, par ce conseil[1] prudent et rigoureux,
C'est acheter la paix du sang d'un malheureux.

PYRRHUS

Oui ; mais je veux, Seigneur, l'assurer davantage :
D'une éternelle paix Hermione est le gage ;
Je l'épouse. Il semblait qu'un spectacle si doux
620 N'attendît en ces lieux qu'un témoin tel que vous :
Vous y représentez tous les Grecs et son père,
Puisqu'en vous Ménélas voit revivre son frère.
Voyez-la donc. Allez. Dites-lui que demain
J'attends avec la paix son cœur de votre main[2].

ORESTE

625 Ah dieux !

---

1. *Conseil :* décision (sens latin de *consilium*).
2. *Son cœur de votre main :* « cœur » est employé au sens galant ;
Pyrrhus demande à Oreste d'être le représentant du père d'Hermione
pour la cérémonie du mariage, où il la conduira (à son bras) jusqu'à
l'autel.

89

Acte II Scènes 3 et 4

UN REVIREMENT INATTENDU

1. Le monologue d'Oreste (scène 3) : Oreste a-t-il de bonnes raisons de se croire sûr du résultat ? Comment comprenez-vous le vers 604 ?

2. « C'en est fait » (v. 597) : cette expression revient souvent dans les tragédies de Racine ; quel est son sens ? Oreste a-t-il raison de l'employer ici ?

3. La péripétie : qu'annonce Pyrrhus (v. 605 à 614) ? Le spectateur pouvait-il s'attendre à cette nouvelle ? Que doit-on supposer qu'il s'est passé pendant l'entracte et pendant que se déroulait l'entrevue entre Oreste et Hermione ?

4. Surcroît de complexité (v. 617 à 624) : que demande Pyrrhus à Oreste ? Distinguez les deux missions qu'il exige de lui.

5. Quand doit avoir lieu le mariage ? Pourquoi ?

UN AMOUREUX EN « ÉTAT DE CHOC »

6. Dans les tragédies classiques, un monologue (scène 3) était censé, par convention, permettre au public de connaître les pensées d'un personnage. Quel contraste est ainsi créé entre la scène 3 et la scène 4 ?

7. Les répliques d'Oreste : pourquoi sont-elles aussi brèves ? Qu'essaye-t-il de dire dans les vers 615-616 ? Comment, à votre avis, faut-il prononcer le vers 625 ?

8. La rapidité du changement et la « fuite » d'Oreste : la nouvelle qui surprend Oreste surprend aussi le spectateur. Essayez d'imaginer avec quels gestes doit se faire la sortie d'Oreste pour montrer au public l'état d'esprit du personnage.

SCÈNE 5.　PYRRHUS, PHŒNIX.

PYRRHUS

Eh bien, Phœnix, l'amour est-il le maître ?
Tes yeux refusent-ils encor de me connaître ?

PHŒNIX

Ah ! je vous reconnais ; et ce juste courroux,
Ainsi qu'à tous les Grecs, Seigneur, vous rend à vous.
Ce n'est plus le jouet d'une flamme servile[1] :
630　C'est Pyrrhus, c'est le fils et le rival d'Achille,
Que la gloire à la fin ramène sous ses lois,
Qui triomphe de Troie une seconde fois.

PYRRHUS

Dis plutôt qu'aujourd'hui commence ma victoire,
D'aujourd'hui seulement je jouis de ma gloire ;
635　Et mon cœur, aussi fier que tu l'as vu soumis,
Croit avoir en l'amour vaincu mille ennemis.
Considère, Phœnix, les troubles que j'évite,
Quelle foule de maux l'amour traîne à sa suite,
Que d'amis, de devoirs, j'allais sacrifier,
640　Quels périls... Un regard m'eût tout fait oublier.
Tous les Grecs conjurés fondaient sur un rebelle ;
Je trouvais du plaisir à me perdre pour elle.

PHŒNIX

Oui, je bénis, Seigneur, l'heureuse cruauté[2]
Qui vous rend...

PYRRHUS

Tu l'as vu, comme elle m'a traité.
645　Je pensais, en voyant sa tendresse alarmée,

---

1. *Jouet ... servile* : celui qui est l'esclave (servile) de celle qu'il aime.
2. *Je bénis ... cruauté* : Phœnix se réjouit de l'indifférence (« l'heureuse cruauté ») d'Andromaque envers Pyrrhus, grâce à laquelle celui-ci a changé d'attitude.

Que son fils me la dût renvoyer désarmée.
J'allais voir le succès[1] de ses embrassements :
Je n'ai trouvé que pleurs mêlés d'emportements.
Sa misère l'aigrit ; et toujours plus farouche[2],
650 Cent fois le nom d'Hector est sorti de sa bouche.
Vainement à son fils j'assurais mon secours :
« C'est Hector, disait-elle, en l'embrassant toujours ;
Voilà ses yeux, sa bouche, et déjà son audace ;
C'est lui-même ; c'est toi, cher époux, que j'embrasse. »
655 Et quelle est sa pensée ? attend-elle en ce jour
Que je lui laisse un fils pour nourrir son amour[3] ?

PHŒNIX

Sans doute, c'est le prix que vous gardait l'ingrate.
Mais laissez-la, Seigneur.

PYRRHUS

Je vois ce qui la flatte[4] :
Sa beauté la rassure, et malgré mon courroux,
660 L'orgueilleuse m'attend encore à ses genoux.
Je la verrais aux miens, Phœnix, d'un œil tranquille.
Elle est veuve d'Hector, et je suis fils d'Achille :
Trop de haine sépare Andromaque et Pyrrhus.

PHŒNIX

Commencez donc, Seigneur, à ne m'en parler plus.
665 Allez voir Hermione ; et content[5] de lui plaire,
Oubliez à ses pieds jusqu'à votre colère.
Vous-même à cet hymen venez la disposer.
Est-ce sur un rival qu'il s'en faut reposer ?
Il ne l'aime que trop.

---

1. *Succès :* résultat (bon ou mauvais).
2. *Farouche :* se rapporte à « l' » (Andromaque), selon une construction syntaxique peu orthodoxe (voir le vers 301).
3. *Son amour :* l'amour d'Andromaque pour Hector.
4. *La flatte :* lui donne du courage en entretenant des idées fausses.
5. *Content :* satisfait, vous contentant de.

PYRRHUS

Crois-tu, si je l'épouse,
670 Qu'Andromaque en son cœur n'en sera pas jalouse ?

PHŒNIX

Quoi ? toujours Andromaque occupe votre esprit !
Que vous importe, ô dieux ! sa joie ou son dépit ?
Quel charme, malgré vous, vers elle vous attire ?

PYRRHUS

Non, je n'ai pas bien dit tout ce qu'il lui faut dire :
675 Ma colère à ses yeux n'a paru qu'à demi ;
Elle ignore à quel point je suis son ennemi.
Retournons-y. Je veux la braver à sa vue[1],
Et donner à ma haine une libre étendue.
Viens voir tous ses attraits, Phœnix, humiliés.
680 Allons.

PHŒNIX

Allez, Seigneur, vous jeter à ses pieds ;
Allez, en lui jurant que votre âme l'adore,
À de nouveaux mépris l'encourager encore.

PYRRHUS

Je le vois bien, tu crois que prêt à l'excuser
Mon cœur court après elle et cherche à s'apaiser.

PHŒNIX

685 Vous aimez : c'est assez.

PYRRHUS

Moi, l'aimer ? une ingrate
Qui me hait d'autant plus que mon amour la flatte ?
Sans parents, sans amis, sans espoir que sur moi[2],
Je puis perdre son fils, peut-être je le doi[3] ;

---

1. *La braver à sa vue* : la défier en face.
2. *Que sur moi* : si ce n'est moi.
3. *Doi* : forme archaïque de la première personne, qui permet une meilleure rime « pour l'œil ».

Étrangère... que dis-je ? esclave dans l'Épire,
690 Je lui donne son fils, mon âme, mon empire,
Et je ne puis gagner dans son perfide cœur
D'autre rang que celui de son persécuteur !
Non, non, je l'ai juré, ma vengeance est certaine :
Il faut bien une fois justifier sa haine,
695 J'abandonne son fils. Que de pleurs vont couler !
De quel nom sa douleur me va-t-elle appeler !
Quel spectacle pour elle aujourd'hui se dispose !
Elle en mourra, Phœnix, et j'en serai la cause.
C'est lui mettre moi-même un poignard dans le sein.

PHŒNIX

700 Et pourquoi donc en faire éclater le dessein ?
Que ne consultiez-vous tantôt votre faiblesse ?

PYRRHUS

Je t'entends. Mais excuse un reste de tendresse.
Crains-tu pour ma colère un si faible combat ?
D'un amour qui s'éteint c'est le dernier éclat.
705 Allons. À tes conseils, Phœnix, je m'abandonne.
Faut-il livrer son fils ? faut-il voir Hermione ?

PHŒNIX

Oui, voyez-la, Seigneur, et par des vœux soumis,
Protestez-lui[1]...

PYRRHUS
Faisons tout ce que j'ai promis.

---

1. *Protestez-lui* : promettez-lui par un serment (sens latin du verbe).

Acte II Scène 5

LE ROI ET SON CONSEILLER

1. Qui est Phœnix (reportez-vous à la liste des personnages page 52 et cherchez le sens du mot « gouverneur ») ? Dans une tragédie classique, il est fréquent que les protagonistes soient accompagnés d'un confident : Phœnix est-il un simple confident ?

2. Quels sont les arguments essentiels que Phœnix développe en faveur du mariage de Pyrrhus avec Hermione ? Citez le texte. Quelles forces agissantes essaye-t-il de faire intervenir ?

3. Qui Pyrrhus essaye-t-il de convaincre dans les vers 637 à 640 : Phœnix, ou lui-même ? Justifiez votre réponse.

4. À partir du vers 657, quelle idée revient, sous diverses formules, dans toutes les répliques de Phœnix ? Pourquoi cette redondance ?

5. Quel est le vrai but de Pyrrhus quand il décide d'aller voir Andromaque encore une fois ? Quelle force le fait agir ainsi ?

UNE TECHNIQUE DRAMATIQUE HABILE

6. Ce que décrit Pyrrhus dans les vers 644 à 656, Phœnix y a assisté ; à qui est donc réellement destiné ce récit ?

7. Phœnix devine-t-il bien les vrais sentiments de Pyrrhus ? Citez le texte pour justifier votre réponse. En quoi cela est-il utile au public ?

8. Faisons le bilan de l'acte II : quel est le personnage qu'on n'y voit jamais sur scène ? qu'a-t-on appris à son sujet ? Comparez avec la fin de l'acte I.

9. Comment peut-on comprendre les derniers mots de Pyrrhus ? En quoi cela maintient-il un effet de suspens (voir p. 230) ?

Talma (1763-1826) dans le rôle d'Oreste.
Dessin d'Albert Decaris pour un timbre émis en 1961.
© A.D.A. G.P. Musée de la Poste, Paris.

Acte III

SCÈNE 1. ORESTE, PYLADE.

PYLADE

Modérez donc, Seigneur, cette fureur extrême.
710 Je ne vous connais plus ; vous n'êtes plus vous-même.
Souffrez...

ORESTE

Non, tes conseils ne sont plus de saison,
Pylade ; je suis las d'écouter la raison.
C'est traîner trop longtemps ma vie et mon supplice :
Il faut que je l'enlève[1], ou bien que je périsse.
715 Le dessein en est pris, je le veux achever[2].
Oui, je le veux.

PYLADE

Eh bien ! il la faut enlever,
J'y consens. Mais songez cependant où vous êtes.
Que croira-t-on de vous, à voir ce que vous faites ?
Dissimulez : calmez ce transport inquiet ;
720 Commandez à vos yeux de garder le secret.
Ces gardes, cette cour, l'air qui vous environne,
Tout dépend de[3] Pyrrhus, et surtout Hermione.
À ses regards surtout cachez votre courroux.
Ô dieux ! en cet état pourquoi la cherchiez-vous ?

ORESTE

725 Que sais-je ? De moi-même étais-je alors le maître ?

---

1. *Que je l'enlève* : que j'enlève Hermione.
2. *Le dessein ... achever* : le projet en est fait, je veux le mener jusqu'à son terme.
3. *Dépend de* : est soumis au pouvoir de.

La fureur m'emportait, et je venais peut-être
Menacer à la fois l'ingrate et son amant.

PYLADE

Et quel était[1] le fruit de cet emportement ?

ORESTE

Et quelle âme, dis-moi, ne serait éperdue[2]
730 Du coup dont ma raison vient d'être confondue[3] ?
Il épouse, dit-il, Hermione demain ;
Il veut, pour m'honorer, la tenir de ma main.
Ah ! plutôt cette main dans le sang du barbare...

PYLADE

Vous l'accusez, Seigneur, de ce destin bizarre ;
735 Cependant, tourmenté de ses propres desseins,
Il est peut-être à plaindre autant que je vous plains.

ORESTE

Non, non, je le connais, mon désespoir le flatte[4] ;
Sans moi, sans mon amour, il dédaignait l'ingrate ;
Ses charmes jusque-là n'avaient pu le toucher :
740 Le cruel ne la prend que pour me l'arracher.
Ah dieux ! c'en était fait : Hermione gagnée
Pour jamais de sa vue allait être éloignée,
Son cœur, entre l'amour et le dépit confus[5],
Pour se donner à moi n'attendait qu'un refus,
745 Ses yeux s'ouvraient, Pylade, elle écoutait Oreste,
Lui parlait, le plaignait... Un mot eût fait le reste.

PYLADE

Vous le croyez !

---

1. *Quel était* : l'imparfait de l'indicatif équivaut ici au conditionnel passé (quel aurait été...).
2. *Éperdue* : profondément troublée.
3. *Confondue* : plongée dans la confusion.
4. *Le flatte* : ici, lui fait plaisir.
5. *Confus* : ne parvenant pas à se décider.

ORESTE

Hé quoi ? ce courroux enflammé
Contre un ingrat...

PYLADE

Jamais il ne fut plus aimé.
Pensez-vous, quand Pyrrhus vous l'aurait accordée,
750 Qu'un prétexte tout prêt ne l'eût pas retardée ?
M'en croirez-vous ? Lassé de ses trompeurs attraits,
Au lieu de l'enlever, fuyez-la pour jamais.
Quoi ? votre amour se veut charger d'une furie[1]
Qui vous détestera, qui toute votre vie,
755 Regrettant un hymen tout prêt à s'achever,
Voudra...

ORESTE

C'est pour cela que je veux l'enlever.
Tout lui rirait[2], Pylade ; et moi, pour mon partage,
Je n'emporterais donc qu'une inutile rage ?
J'irais loin d'elle encor tâcher de l'oublier ?
760 Non, non, à mes tourments, je veux l'associer.
C'est trop gémir tout seul. Je suis las qu'on me plaigne.
Je prétends qu'à mon tour l'inhumaine me craigne,
Et que ses yeux cruels, à pleurer condamnés,
Me rendent tous les noms que je leur ai donnés[3].

PYLADE

765 Voilà donc le succès qu'aura votre ambassade :
Oreste ravisseur !

---

1. *Une furie* : une femme (Hermione) qui cherchera sans cesse à faire du mal (les Furies étaient, dans la mythologie, les déesses de la Vengeance).
2. *Tout lui rirait* : tout lui serait agréable, tout aurait pour elle un aboutissement heureux.
3. *Et que ses yeux ... ai donnés* : cette phrase ne peut se comprendre qu'en se rapportant encore au langage galant : les « yeux » d'Hermione désignent d'abord une partie de la personne (vers 763), puis l'être même d'Hermione (vers 764), grâce à la synecdoque (voir p. 230).

99

ORESTE

Et qu'importe, Pylade ?
Quand nos États vengés jouiront de mes soins,
L'ingrate de mes pleurs jouira-t-elle moins ?
Et que me servira que la Grèce m'admire,
770 Tandis que je serai la fable[1] de l'Épire ?
Que veux-tu ? Mais, s'il faut ne te rien déguiser,
Mon innocence enfin commence à me peser.
Je ne sais de tout temps quelle injuste puissance
Laisse le crime en paix, et poursuit l'innocence.
775 De quelque part sur moi que je tourne les yeux[2],
Je ne vois que malheurs qui condamnent les dieux[3].
Méritons leur courroux, justifions leur haine,
Et que le fruit du crime en précède la peine.
Mais toi, par quelle erreur veux-tu toujours sur toi
780 Détourner un courroux qui ne cherche que moi ?
Assez et trop longtemps mon amitié t'accable :
Évite un malheureux, abandonne un coupable.
Cher Pylade, crois-moi, ta pitié te séduit[4].
Laisse-moi des périls dont j'attends tout le fruit.
785 Porte aux Grecs cet enfant que Pyrrhus m'abandonne.
Va-t'en.

PYLADE

Allons, Seigneur, enlevons Hermione.
Au travers des périls un grand cœur se fait jour.
Que ne peut l'amitié conduite par l'amour ?
Allons de tous vos Grecs encourager le zèle.
790 Nos vaisseaux sont tout prêts, et le vent nous appelle.
Je sais de ce palais tous les détours obscurs ;

---

1. *La fable* : le sujet de conversations moqueuses.
2. *De quelque part sur moi que je tourne les yeux* : quel que soit
l'aspect de ma vie que j'envisage.
3. *Qui ... dieux* : qui montrent que les dieux sont injustes.
4. *Te séduit* : au sens premier, t'égare, te fait perdre le droit chemin.

Vous voyez que la mer en vient battre les murs,
Et cette nuit, sans peine, une secrète voie
Jusqu'en votre vaisseau conduira votre proie.

ORESTE

795 J'abuse, cher ami, de ton trop d'amitié
Mais pardonne à des maux dont toi seul as pitié ;
Excuse un malheureux qui perd tout ce qu'il aime,
Que tout le monde hait, et qui se hait lui-même.
Que ne puis-je à mon tour dans un sort plus heureux...

PYLADE

800 Dissimulez, Seigneur ; c'est tout ce que je veux.
Gardez[1] qu'avant le coup[2] votre dessein n'éclate :
Oubliez jusque-là qu'Hermione est ingrate ;
Oubliez votre amour. Elle vient, je la voi.

ORESTE

Va-t'en. Réponds-moi d'elle, et je réponds de moi.

---

1. *Gardez :* gardez-vous bien de, évitez.
2. *Le coup :* le moment de l'action.

Acte III Scène 1

UN COUP DE FUREUR

1. Comment se fait l'entrée en scène des deux personnages ? Imaginez leurs gestes et leurs mimiques (v. 709 à 711).

2. Comparez avec leur premier dialogue (acte I, scène 1). Qu'en déduisez-vous ?

3. En vous aidant du lexique p. 37, relevez tous les mots qui, dans les vers 709 à 730, expriment l'état d'esprit d'Oreste. Que constatez-vous ?

4. Quels conseils donne Pylade (v. 716 à 724) ? S'agit-il vraiment d'un appel à la raison ?

5. Une autre façon d'argumenter : qu'est-ce que Pylade essaye de suggérer à Oreste dans les vers 748 à 756 ?

6. Expliquez le sens précis de « ravisseur » (v. 766).

LE DÉVOUEMENT AMICAL

7. Faites un tableau selon le modèle suivant :

Évolution de l'attitude d'Oreste		Évolution de l'attitude de Pylade	
Mots qu'il emploie le plus souvent	Traits de caractère dominants	Traits de caractère dominants	Mots qu'il emploie le plus souvent

Qu'en concluez-vous ?

8. Pylade emploie plusieurs fois le verbe « dissimuler » (v. 719 et 800). Quel en est le sens exact ? Cherchez dans cette scène des expressions équivalentes. Pourquoi Pylade parle-t-il en ces termes ?

SCÈNE 2.   HERMIONE, ORESTE, CLÉONE.

ORESTE

805 Eh bien ! mes soins vous ont rendu votre conquête.
J'ai vu Pyrrhus, Madame, et votre hymen s'apprête.

HERMIONE

On le dit ; et de plus on vient de m'assurer
Que vous ne me cherchiez que pour m'y préparer.

ORESTE

Et votre âme à ses vœux ne sera pas rebelle ?

HERMIONE

810 Qui l'eût cru que Pyrrhus ne fût pas infidèle ?
Que sa flamme attendrait si tard pour éclater ?
Qu'il reviendrait à moi, quand je l'allais quitter ?
Je veux croire avec vous qu'il redoute la Grèce,
Qu'il suit son intérêt plutôt que sa tendresse,
815 Que mes yeux sur votre âme étaient plus absolus[1].

ORESTE

Non, Madame : il vous aime, et je n'en doute plus.
Vos yeux ne font-ils pas tout ce qu'ils veulent faire ?
Et vous ne vouliez pas sans doute lui déplaire.

HERMIONE

Mais que puis-je, Seigneur ? On a promis ma foi.
820 Lui ravirai-je un bien qu'il ne tient pas de moi ?
L'amour ne règle pas le sort d'une princesse :
La gloire d'obéir est tout ce qu'on nous laisse.
Cependant je partais, et vous avez pu voir
Combien je relâchais[2] pour vous de mon devoir.

---

1. *Absolus :* avaient un pouvoir sans limites.
2. *Relâchais :* cet emploi transitif est vieilli aujourd'hui.

ORESTE

825 Ah ! que vous saviez bien, cruelle[1]... Mais, Madame,
Chacun peut à son choix disposer de son âme.
La vôtre était à vous. J'espérais ; mais enfin
Vous l'avez pu donner sans me faire un larcin[2].
Je vous accuse aussi bien moins que la fortune.
830 Et pourquoi vous lasser d'une plainte importune ?
Tel est votre devoir, je l'avoue ; et le mien
Est de vous épargner un si triste entretien.

SCÈNE 3.   HERMIONE, CLÉONE.

HERMIONE

Attendais-tu, Cléone, un courroux si modeste ?

CLÉONE

La douleur qui se tait n'en est que plus funeste.
835 Je le plains d'autant plus qu'auteur de son ennui[3],
Le coup qui l'a perdu n'est parti que de lui.
Comptez depuis quel temps votre hymen se prépare ;
Il a parlé, Madame, et Pyrrhus se déclare.

HERMIONE

Tu crois que Pyrrhus craint ? Et que craint-il encor ?
840 Des peuples qui dix ans ont fui devant Hector,
Qui cent fois, effrayés de l'absence d'Achille,

---

1. *Cruelle :* ici le mot n'est plus seulement pris dans son sens figuré
du langage galant, mais retrouve son sens premier (comparez avec
« cruauté » au vers 643).
2. *Larcin :* vol.
3. *Qu'auteur de son ennui :* comme il est le responsable de ses
malheurs (construction très ramassée).

Dans leurs vaisseaux brûlants ont cherché leur asile[1],
Et qu'on verrait encor, sans l'appui de son fils,
Redemander Hélène aux Troyens[2] impunis ?
845 Non, Cléone, il n'est point ennemi de lui-même ;
Il veut tout ce qu'il fait, et s'il m'épouse, il m'aime.
Mais qu'Oreste à son gré m'impute[3] ses douleurs :
N'avons-nous d'entretien que celui de ses pleurs ?
Pyrrhus revient à nous ! Eh bien ! chère Cléone,
850 Conçois-tu les transports de l'heureuse Hermione ?
Sais-tu quel est Pyrrhus ? T'es-tu fait raconter
Le nombre des exploits... mais qui les peut compter ?
Intrépide, et partout suivi de la victoire,
Charmant, fidèle enfin : rien ne manque à sa gloire.
855 Songe...

CLÉONE

Dissimulez. Votre rivale en pleurs
Vient à vos pieds, sans doute, apporter ses douleurs.

HERMIONE

Dieux ! ne puis-je à ma joie abandonner mon âme ?
Sortons : que lui dirais-je ?

---

1. *Asile* : refuge.
2. *Redemander ... Troyens* : l'enlèvement d'Hélène était le prétexte de
la guerre de Troie (voir p. 170).
3. *M'impute* : me rende responsable.

Acte III Scènes 2 et 3

L'EFFET DU REVIREMENT

1. Les premiers mots d'Oreste dans la scène 2 correspondent-ils à la réalité ? Est-ce lui qui a décidé Pyrrhus à épouser Hermione ? Pourquoi parle-t-il ainsi ?

2. Analysez les vers 819 à 824 : quels aspects des conditions de vie des rois et des princes, et quelle morale mettent-ils en avant ?

3. Sur quel ton Oreste prononce-t-il sa dernière réplique (sc. 2) ?

LES ILLUSIONS D'UNE AMOUREUSE

4. Quel est le sens de « modeste » (v. 833) ? Pourquoi Hermione est-elle étonnée ? Se préoccupe-t-elle longtemps d'Oreste ?

5. Quelles qualités Hermione trouve-t-elle en Pyrrhus (sc. 3) ?

6. Pensez-vous qu'elle est vraiment certaine de l'amour de Pyrrhus ? Justifiez votre réponse.

TRAGÉDIE ET DISSIMULATION

7. Quel conseil Cléone donne-t-elle à Hermione (scène 3) ? Comparez avec ceux de Pylade à la scène 1 de l'acte II.

8. Oreste a-t-il été sincère devant Hermione ? Pourquoi ?

9. Hermione a-t-elle été sincère devant Oreste ? L'est-elle vis-à-vis d'elle-même ?

10. Quelles conséquences peuvent avoir les mensonges qui s'accumulent ?

11. Qui est en mesure de détecter le mieux le plus grand nombre de mensonges : les personnages ou le public ? Quels personnages peuvent en détecter plus que les autres ? Qu'en concluez-vous ?

12. Quel est le rôle qu'Oreste joue malgré lui dans le cours des événements ? Comparez avec ses premiers mots au début de la pièce. Quel effet en résulte ?

SCÈNE 4. ANDROMAQUE, HERMIONE, CLÉONE, CÉPHISE.

ANDROMAQUE

Où fuyez-vous, Madame ?
N'est-ce pas à vos yeux un spectacle assez doux
860 Que la veuve d'Hector pleurante[1] à vos genoux ?
Je ne viens point ici, par de jalouses larmes,
Vous envier un cœur qui se rend à vos charmes.
Par une main cruelle, hélas ! j'ai vu percer
Le seul[2] où[3] mes regards prétendaient s'adresser.
865 Ma flamme par Hector fut jadis allumée ;
Avec lui dans la tombe elle s'est enfermée.
Mais il me reste un fils. Vous saurez quelque jour,
Madame, pour un fils jusqu'où va notre amour ;
Mais vous ne saurez pas, du moins je le souhaite,
870 En quel trouble mortel son intérêt nous jette,
Lorsque de tant de biens qui pouvaient nous flatter[4],
C'est le seul qui nous reste, et qu'on veut nous l'ôter.
Hélas ! lorsque, lassés de dix ans de misère,
Les Troyens en courroux menaçaient votre mère,
875 J'ai su de mon Hector lui procurer l'appui[5].
Vous pouvez sur Pyrrhus ce que j'ai pu sur lui.
Que craint-on d'un enfant qui survit à sa perte[6] ?

---

1. *Pleurante* : en français classique, on faisait encore usage du participe présent accordé comme un adjectif.
2. *Le seul* : le seul « cœur » ; encore un cas où un même terme est pris, dans une même phrase, une fois en son sens figuré et une fois au sens propre.
3. *Où* : auquel.
4. *Flatter* : ici, nous rendre fiers, nous réjouir.
5. *De mon Hector ... l'appui* : durant le siège de Troie, les Troyens envisageaient de renvoyer Hélène à son mari, ce qu'elle ne voulait pas, et Hector la soutenait.
6. *À sa perte* : ambigu ; on peut comprendre « à la mort d'Hector ».

Laissez-moi le cacher en quelque île déserte ;
Sur les soins de sa mère on peut s'en assurer[1],
880 Et mon fils avec moi n'apprendra qu'à pleurer.

HERMIONE

Je conçois vos douleurs. Mais un devoir austère,
Quand mon père a parlé, m'ordonne de me taire.
C'est lui qui de Pyrrhus fait agir le courroux.
S'il faut fléchir Pyrrhus, qui le peut mieux que vous ?
885 Vos yeux assez longtemps ont régné sur son âme ;
Faites-le prononcer[2] : j'y souscrirai, Madame.

SCÈNE 5. ANDROMAQUE, CÉPHISE.

ANDROMAQUE

Quel mépris la cruelle attache à ses refus !

CÉPHISE

Je croirais ses conseils, et je verrais Pyrrhus.
Un regard confondrait Hermione et la Grèce...
890 Mais lui-même il vous cherche.

---

1. *S'en assurer :* être sûr qu'il ne s'échappera pas.
2. *Prononcer :* décider et rendre sa décision publique.

Acte III Scènes 4 et 5

LES DEUX RIVALES

1. Quelle est la réaction d'Hermione en voyant arriver Andromaque ? Quel jeu de scène imaginez-vous ?

2. Quelle est l'attitude et le jeu de scène d'Andromaque ? Quel vers vous indique une didascalie (voir p. 225) implicite ?

3. Que demande Andromaque ? A-t-elle déjà évoqué ce thème auparavant ? Quand ?

4. La réponse d'Hermione : est-elle émue ? Quels sentiments sa froideur recouvre-t-elle ?

5. Le « conseil » de Céphise (v. 888) : pourquoi reprend-elle l'idée lancée par Hermione ?

UN DISCOURS DE SUPPLIANTE

6. Une scène de supplication est un moment où le spectateur doit être touché de pitié pour le personnage : relevez les mots qui indiquent la plainte chez Andromaque (v. 858 à 880). Quel ton donnent-ils à son discours ?

7. Quels sont les quatre thèmes principaux qui se succèdent dans cette tirade ? Faites le plan de celle-ci.

8. Relevez les verbes au passé, au présent, au futur, et classez-les dans un tableau. Quelle vision de l'existence d'Andromaque apparaît là ?

9. Essayez de préciser les indications qu'un metteur en scène pourrait donner à Andromaque sur ses gestes, ses tons de voix. Faites de même pour Hermione. Quels rapports voit-on ainsi se dessiner entre les deux femmes ?

10. Précisez les sentiments qu'exprime le ton des derniers mots d'Hermione (scène 4) : Andromaque a-t-elle réussi dans son entreprise ?

SCÈNE 6. PYRRHUS, ANDROMAQUE, PHŒNIX, CÉPHISE.

PYRRHUS, *à Phœnix.*

Où donc est la princesse[1] ?
Ne m'avais-tu pas dit qu'elle était en ces lieux ?

PHŒNIX

Je le croyais.

ANDROMAQUE, *à Céphise.*
Tu vois le pouvoir de mes yeux !

PYRRHUS

Que dit-elle, Phœnix ?

ANDROMAQUE
Hélas ! tout m'abandonne.

PHŒNIX

Allons, Seigneur, marchons sur les pas d'Hermione.

CÉPHISE

895 Qu'attendez-vous ? Rompez ce silence obstiné.

ANDROMAQUE

Il a promis mon fils.

CÉPHISE
Il ne l'a pas donné.

ANDROMAQUE

Non, non, j'ai beau pleurer, sa mort est résolue.

---

1. *La princesse* : Hermione (il fait semblant de ne pas voir Andromaque).

PYRRHUS

Daigne-t-elle sur nous tourner au moins la vue ?
Quel orgueil !

ANDROMAQUE

Je ne fais que l'irriter encor.
900 Sortons.

PYRRHUS

Allons aux Grecs livrer le fils d'Hector.

ANDROMAQUE

Ah ! Seigneur, arrêtez ! Que prétendez-vous faire ?
Si vous livrez le fils, livrez-leur donc la mère !
Vos serments m'ont tantôt juré tant d'amitié[1] !
Dieux ! ne pourrai-je au moins toucher votre pitié ?
905 Sans espoir de pardon m'avez-vous condamnée ?

PYRRHUS

Phœnix vous le dira, ma parole est donnée.

ANDROMAQUE

Vous qui braviez pour moi tant de périls divers !

PYRRHUS

J'étais aveugle alors ; mes yeux se sont ouverts.
Sa grâce à vos désirs pouvait être accordée ;
910 Mais vous ne l'avez pas seulement demandée :
C'en est fait.

ANDROMAQUE

Ah ! Seigneur ! vous entendiez assez
Des soupirs qui craignaient de se voir repoussés.

---

1. *Amitié :* équivalent d'« amour », par euphémisme (voir p. 225), en
langage galant.

Pardonnez à l'éclat d'une illustre fortune[1]
Ce reste de fierté qui craint d'être importune.
915 Vous ne l'ignorez pas : Andromaque, sans vous,
N'aurait jamais d'un maître embrassé les genoux.

PYRRHUS

Non, vous me haïssez ; et dans le fond de l'âme
Vous craignez de devoir quelque chose à ma flamme.
Ce fils même, ce fils, l'objet de tant de soins,
920 Si je l'avais sauvé, vous l'en aimeriez moins.
La haine, le mépris, contre moi tout s'assemble ;
Vous me haïssez plus que tous les Grecs ensemble.
Jouissez à loisir d'un si noble courroux.
Allons, Phœnix.

ANDROMAQUE

Allons rejoindre mon époux.

CÉPHISE

925 Madame...

ANDROMAQUE

Et que veux-tu que je lui dise encore ?
Auteur de tous mes maux, crois-tu qu'il les ignore ?
Seigneur, voyez l'état où[2] vous me réduisez.
J'ai vu mon père mort et nos murs embrasés ;
J'ai vu trancher les jours de ma famille entière,
930 Et mon époux sanglant traîné sur la poussière,
Son fils seul avec moi, réservé pour les fers.
Mais que ne peut un fils ? Je respire, je sers[3].
J'ai fait plus : je me suis quelquefois consolée
Qu'ici, plutôt qu'ailleurs, le sort m'eût exilée ;
935 Qu'heureux dans son malheur, le fils de tant de rois,

---

1. *Illustre fortune :* haute condition à laquelle appartenait Andromaque autrefois, avant la défaite de Troie.
2. *Où :* auquel.
3. *Je respire, je sers :* j'ai accepté de vivre (respirer) et d'être esclave (servir).

Puisqu'il devait servir, fût tombé sous vos lois.
J'ai cru que sa prison deviendrait son asile.
Jadis Priam soumis fut respecté d'Achille[1] :
J'attendais de son fils encor plus de bonté.
940 Pardonne, cher Hector, à ma crédulité !
Je n'ai pu soupçonner ton ennemi d'un crime ;
Malgré lui-même enfin je l'ai cru magnanime[2].
Ah ! s'il l'était assez pour nous laisser du moins
Au tombeau qu'à ta cendre ont élevé mes soins[3],
945 Et que finissant là sa haine et nos misères,
Il ne séparât point des dépouilles si chères !

PYRRHUS

Va m'attendre, Phœnix.

---

1. *Jadis ... Achille :* après qu'Achille eut tué Hector, il accepta la
supplication du père de celui-ci (Priam) et lui rendit son corps.
2. *Malgré lui-même ... magnanime :* en dépit de ses façons d'agir,
j'ai cru qu'il avait de la générosité, de la grandeur d'âme.
3. *Assez ... mes soins :* Andromaque souhaite être mise à mort avec
son fils et ensevelie dans le tombeau qu'elle a édifié en mémoire
d'Hector.

Acte III Scène 6

UNE ÉTRANGE SCÈNE

1. Essayez de préciser la position qu'occupe chacun des quatre personnages sur la scène (v. 890 à 900).

2. Est-il logique qu'ils n'entendent pas chacun ce que disent les autres ? Donnez des preuves à l'appui de votre réponse.

3. Ce passage vous semble-t-il vraiment tragique ? Quand le devient-il ?

UN NOUVEAU REVIREMENT

4. Quels arguments emploie Pyrrhus dans les vers 901 à 947 ? Sont-ils d'ordre politique ou d'ordre sentimental ? Justifiez votre réponse en citant le texte.

5. Comment comprenez-vous le « C'en est fait » du vers 911 ? Pourquoi Pyrrhus le prononce-t-il à ce moment ?

6. Que laissent entendre les paroles d'Andromaque au vers 924 ?

7. Quels arguments emploie Andromaque dans les vers 925 à 946 ? Quel est celui qui décide Pyrrhus à changer de façon de voir ?

8. Pourquoi Pyrrhus congédie-t-il Phœnix ? À quoi peut s'attendre alors le spectateur ?

SCÈNE 7. PYRRHUS, ANDROMAQUE, CÉPHISE.

PYRRHUS *continue.*
Madame, demeurez.
On peut vous rendre encor ce fils que vous pleurez.
Oui, je sens à regret qu'en excitant vos larmes
950 Je ne fais contre moi que vous donner des armes.
Je croyais apporter plus de haine en ces lieux.
Mais, Madame, du moins tournez vers moi les yeux :
Voyez si mes regards sont d'un juge sévère,
S'ils sont d'un ennemi qui cherche à vous déplaire.
955 Pourquoi me forcez-vous vous-même à vous trahir ?
Au nom de votre fils, cessons de nous haïr.
À le sauver enfin c'est moi qui vous convie.
Faut-il que mes soupirs vous demandent sa vie ?
Faut-il qu'en sa faveur j'embrasse vos genoux ?
960 Pour la dernière fois, sauvez-le, sauvez-vous.
Je sais de quels serments je romps pour vous les chaînes,
Combien je vais sur moi faire éclater de haines.
Je renvoie Hermione, et je mets sur son front,
Au lieu de ma couronne, un éternel affront.
965 Je vous conduis au temple où son hymen s'apprête,
Je vous ceins du bandeau préparé pour sa tête.
Mais ce n'est plus, Madame, une offre à dédaigner :
Je vous le dis, il faut ou périr ou régner.
Mon cœur, désespéré d'un an d'ingratitude,
970 Ne peut plus de son sort souffrir l'incertitude.
C'est craindre, menacer et gémir trop longtemps.
Je meurs si je vous perds, mais je meurs si j'attends.
Songez-y : je vous laisse, et je viendrai vous prendre
Pour vous mener au temple où ce fils doit m'attendre.
975 Et là vous me verrez, soumis ou furieux,
Vous couronner, Madame, ou le perdre à vos yeux.

115

Acte III Scène 7

RHÉTORIQUE GALANTE ET ULTIME MENACE

1. Faites le plan de la tirade.

2. Qui parle ? Quelle peut être l'attitude des autres personnages ? Imaginez leurs gestes, leurs expressions, etc.

3. Quelles sont les armes dont Pyrrhus parle au vers 950 ?

4. Comment comprenez-vous le vers 959 ? Qui a déjà fait le geste dont il y est question ? Pourquoi cela serait-il étonnant de la part de Pyrrhus ?

5. Comment comprenez-vous le vers 972 ? Pyrrhus va-t-il réellement « mourir » s'il épouse Hermione ? Et dans la suite de la pièce ? Que pensez-vous de l'emploi de ce mot ? Quel effet peut-il produire sur le spectateur ?

6. Expliquez le sens de « songer » au vers 973.

7. Considérez ensemble les scènes 6 et 7 : font-elles un tout ? Qu'apporte cette séquence comme élément nouveau ?

POÉSIE ET CONTRADICTION DES SENTIMENTS

8. Relevez tous les termes adversatifs (voir p. 223) employés par Pyrrhus.

9. Relevez les vers, ou les hémistiches (voir p. 226), qui contiennent des antithèses (voir p. 223). À quel moment en trouve-t-on le plus ?

10. Le ton de Pyrrhus est-il le même tout au long de sa tirade ? Sinon, comment et à quels moments évolue-t-il ?

11. Quels effets ce discours peut-il produire sur Andromaque ? et sur le spectateur ?

SCÈNE 8. ANDROMAQUE, CÉPHISE.

CÉPHISE

Je vous l'avais prédit, qu'en dépit de la Grèce,
De votre sort encor vous seriez la maîtresse.

ANDROMAQUE

Hélas ! de quel effet[1] tes discours sont suivis !
980 Il ne me restait plus qu'à condamner mon fils.

CÉPHISE

Madame, à votre époux c'est être assez fidèle :
Trop de vertu pourrait vous rendre criminelle ;
Lui-même il porterait votre âme à la douceur.

ANDROMAQUE

Quoi ? je lui donnerais Pyrrhus pour successeur !

CÉPHISE

985 Ainsi le veut son fils, que les Grecs vous ravissent.
Pensez-vous qu'après tout ses mânes en rougissent[2] ?
Qu'il méprisât, Madame, un roi victorieux
Qui vous fait remonter au rang de vos aïeux,
Qui foule aux pieds pour vous vos vainqueurs en colère,
990 Qui ne se souvient plus qu'Achille était son père,
Qui dément ses exploits et les rend superflus ?

ANDROMAQUE

Dois-je les oublier, s'il ne s'en souvient plus ?
Dois-je oublier Hector privé de funérailles,
Et traîné sans honneur[3] autour de nos murailles ?

---

1. *Effet* : résultat.
2. *Qu'après ... en rougissent* : que cela fasse honte au souvenir d'Hector. Dans la religion grecque, les mânes d'un mort désignaient sa personne survivant dans l'au-delà.
3. *Traîné sans honneur* : Achille, après avoir tué Hector, avait attaché son cadavre derrière son char.

995 Dois-je oublier son père à mes pieds renversé,
Ensanglantant l'autel qu'il tenait embrassé[1] ?
Songe, songe, Céphise, à cette nuit cruelle
Qui fut pour tout un peuple une nuit éternelle ;
Figure-toi Pyrrhus, les yeux étincelants,
1000 Entrant à la lueur de nos palais brûlants,
Sur tous mes frères morts se faisant un passage,
Et de sang tout couvert échauffant le carnage ;
Songe aux cris des vainqueurs, songe aux cris des mourants,
Dans la flamme étouffés, sous le fer expirants ;
1005 Peins-toi dans ces horreurs Andromaque éperdue :
Voilà comme Pyrrhus vint s'offrir à ma vue ;
Voilà par quels exploits il sut se couronner ;
Enfin voilà l'époux que tu me veux donner.
Non, je ne serai point complice de ses crimes ;
1010 Qu'il nous prenne, s'il veut, pour dernières victimes.
Tous mes ressentiments lui seraient asservis[2].

CÉPHISE

Eh bien, allons donc voir expirer votre fils :
On n'attend plus que vous... Vous frémissez, Madame ?

ANDROMAQUE

Ah ! de quel souvenir viens-tu frapper mon âme !
1015 Quoi ? Céphise, j'irai voir expirer encor
Ce fils, ma seule joie, et l'image d'Hector ?
Ce fils, que de sa flamme il me laissa pour gage ?
Hélas ! je m'en souviens, le jour que son courage
Lui fit chercher Achille, ou plutôt le trépas,
1020 Il demanda son fils, et le prit dans ses bras :
« Chère épouse, dit-il en essuyant mes larmes,
J'ignore quel succès le sort garde à mes armes ;

---

1. *Son père ... embrassé* : Priam fut tué par Pyrrhus alors qu'il avait
l'attitude de celui qui se met sous la protection des dieux.
2. *Tous ... asservis* : si elle épousait Pyrrhus, Andromaque devrait
faire taire toutes les raisons qu'elle a de le haïr.

Congé d'Hector à sa famille. Amphore attique (détail)
du Vᵉ siècle av. J.- C. Rome.

119

Je te laisse mon fils pour gage de ma foi :
S'il me perd, je prétends qu'il me retrouve en toi.
1025 Si d'un heureux hymen la mémoire t'est chère,
Montre au fils à quel point tu chérissais le père. »
Et je puis[1] voir répandre un sang si précieux ?
Et je laisse avec lui périr tous ses aïeux ?
Roi barbare, faut-il que mon crime l'entraîne ?
1030 Si je te hais, est-il coupable de ma haine ?
T'a-t-il de tous les siens reproché le trépas ?
S'est-il plaint à tes yeux des maux qu'il ne sent pas[2] ?
Mais cependant, mon fils, tu meurs si je n'arrête
Le fer que le cruel tient levé sur ta tête.
1035 Je l'en puis détourner, et je t'y vais offrir ?...
Non, tu ne mourras point, je ne le puis souffrir.
Allons trouver Pyrrhus. Mais non, chère Céphise,
Va le trouver pour moi.

CÉPHISE
Que faut-il que je dise ?

ANDROMAQUE
Dis-lui que de mon fils l'amour[3] est assez fort...
1040 Crois-tu que dans son cœur il ait juré sa mort ?
L'amour peut-il si loin pousser sa barbarie ?

CÉPHISE
Madame, il va bientôt revenir en furie.

ANDROMAQUE
Eh bien ! va l'assurer...

CÉPHISE
De quoi ? de votre foi ?

---

1. *Et je puis :* et je pourrais.
2. *Qu'il ne sent pas :* dont il est trop jeune pour avoir conscience.
3. *De mon fils l'amour :* l'amour que j'ai pour mon fils.

ANDROMAQUE

Hélas ! pour la promettre est-elle encore à moi ?
1045 Ô cendres d'un époux ! ô Troyens ! ô mon père !
Ô mon fils, que tes jours coûtent cher à ta mère !
Allons.

CÉPHISE

Où donc, Madame ? et que résolvez-vous ?

ANDROMAQUE

Allons sur son tombeau consulter mon époux.

121

Acte III Scène 8

LE TEMPS DU DÉSARROI

1. Pourquoi Andromaque accuse-t-elle Céphise (v. 979 - 980) ?

2. Quels sont les arguments de Céphise ?

3. Quels sont ceux d'Andromaque ?

4. Comment comprenez-vous les vers 1038 à 1048 ? Andromaque a-t-elle pris une décision ? Justifiez votre réponse.

5. Le vers 1048 : à quel autre vers prononcé par Andromaque un peu avant fait-il écho ? Comparez-les. Quel effet cela produit-il sur le spectateur ?

TRAGÉDIE ET POÉSIE ÉPIQUE

6. Au XVIIe siècle, l'épopée (voir p. 225) était considérée comme le genre littéraire le plus noble ; la tragédie, genre « soutenu », était très proche de l'épopée et en prenait le ton à certains moments. Quelle est l'épopée qui raconte la guerre de Troie (voir p. 167 et 178) ? Quel est le nom de son auteur ?

7. Quels sont les passages où le récit devient épique dans cette scène ?

8. Quelles sont les images qui y dominent ? Relevez-en quelques exemples frappants.

9. Quel est le sens du verbe « songer » dans les vers 997 et 1003 ? Comparez avec le vers 973.

10. Pourquoi Andromaque rapporte-t-elle les paroles d'Hector au style direct ?

11. Quel effet produit, sur le spectateur, le fait que ces passages épiques soient prononcés par une femme malheureuse ?

Acte IV

SCÈNE 1. ANDROMAQUE, CÉPHISE.

CÉPHISE

Ah ! je n'en doute point : c'est votre époux, Madame,
1050 C'est Hector qui produit ce miracle en votre âme.
Il veut que Troie encor se puisse relever
Avec cet heureux[1] fils qu'il vous fait conserver.
Pyrrhus vous l'a promis. Vous venez de l'entendre,
Madame : il n'attendait qu'un mot pour vous le rendre.
1055 Croyez-en ses transports : père, sceptre, alliés,
Content[2] de votre cœur, il met tout à vos pieds.
Sur lui, sur tout son peuple il vous rend souveraine.
Est-ce là ce vainqueur digne de tant de haine ?
Déjà contre les Grecs plein d'un noble courroux,
1060 Le soin de votre fils le touche autant que vous :
Il prévient leur fureur[3], il lui laisse sa garde ;
Pour ne pas l'exposer, lui-même il se hasarde[4].
Mais tout s'apprête au temple, et vous avez promis...

ANDROMAQUE

Oui, je m'y trouverai. Mais allons voir mon fils.

CÉPHISE

1065 Madame, qui[5] vous presse ? Il suffit que sa vue
Désormais à vos yeux ne soit plus défendue.

---

1. *Heureux* : qui a de la chance, ou qui a survécu grâce à la chance.
2. *Content* : se contentant de, se tenant satisfait, comblé, si vous l'épousez.
3. *Il prévient leur fureur* : il prend les précautions qu'il faut pour éviter que leur rage (« fureur ») leur fasse tuer l'enfant.
4. *Se hasarde* : prend des risques, expose sa propre vie.
5. *Qui* : qu'est-ce qui.

Andromaque (Catherine Sellers) et Céphise (Christianne Carpentier).
Mise en scène de J.-L. Barrault. Théâtre de l'Odéon, 1962.

Vous lui pourrez bientôt prodiguer vos bontés,
Et vos embrassements ne seront plus comptés.
Quel plaisir d'élever un enfant qu'on voit craître[1],
1070 Non plus comme un esclave élevé pour son maître,
Mais pour voir avec lui renaître tant de rois !

ANDROMAQUE
Céphise, allons le voir pour la dernière fois.

---

1. *Craître :* ancienne forme de « croître ».

CÉPHISE

Que dites-vous ? Ô dieux !

ANDROMAQUE

Ô ma chère Céphise,
Ce n'est point avec toi que mon cœur se déguise.
1075 Ta foi, dans mon malheur, s'est montrée à mes yeux ;
Mais j'ai cru qu'à mon tour tu me connaissais mieux.
Quoi donc ? as-tu pensé qu'Andromaque infidèle
Pût trahir un époux qui croit revivre en elle,
Et que de tant de morts réveillant la douleur,
1080 Le soin de mon repos me fît troubler le leur ?
Est-ce là cette ardeur tant promise à sa cendre[1] ?
Mais son fils périssait ; il l'a fallu défendre.
Pyrrhus en m'épousant s'en déclare l'appui ;
Il suffit : je veux bien m'en reposer sur lui.
1085 Je sais quel est Pyrrhus[2] : violent, mais sincère,
Céphise, il fera plus qu'il n'a promis de faire.
Sur le courroux des Grecs je m'en repose encor :
Leur haine va donner un père au fils d'Hector,
Je vais donc, puisqu'il faut que je me sacrifie,
1090 Assurer[3] à Pyrrhus le reste de ma vie ;
Je vais, en recevant sa foi sur les autels,
L'engager à mon fils par des nœuds immortels.
Mais aussitôt ma main, à moi seule funeste,
D'une infidèle[4] vie abrégera le reste,
1095 Et sauvant ma vertu, rendra ce que je doi
À Pyrrhus, à mon fils, à mon époux, à moi.
Voilà de mon amour l'innocent stratagème,
Voilà ce qu'un époux m'a commandé lui-même ;
J'irai seule rejoindre Hector et mes aïeux.
1100 Céphise, c'est à toi de me fermer les yeux.

---

1. *Sa cendre :* la dépouille mortelle d'Hector.
2. *Quel est Pyrrhus :* quel est le caractère de Pyrrhus.
3. *Assurer :* donner sans réserve.
4. *Infidèle :* infidèle au souvenir d'Hector.

CÉPHISE

Ah ! ne prétendez pas que je puisse survivre...

ANDROMAQUE

Non, non, je te défends, Céphise, de me suivre.
Je confie à tes soins mon unique trésor.
Si tu vivais pour moi, vis pour le fils d'Hector.
1105 De l'espoir des Troyens seule dépositaire,
Songe à combien de rois tu deviens nécessaire.
Veille auprès de Pyrrhus ; fais-lui garder sa foi :
S'il le faut, je consens qu'on lui parle de moi ;
Fais-lui valoir l'hymen où je me suis rangée[1],
1110 Dis-lui qu'avant ma mort je lui fus engagée,
Que ses ressentiments doivent être effacés,
Qu'en lui laissant mon fils, c'est l'estimer assez.
Fais connaître à mon fils les héros de sa race,
Autant que tu pourras, conduis-le sur leur trace :
1115 Dis-lui par quels exploits leurs noms ont éclaté[2],
Plutôt ce qu'ils ont fait que ce qu'ils ont été ;
Parle-lui tous les jours des vertus de son père ;
Et quelquefois aussi parle-lui de sa mère.
Mais qu'il ne songe plus, Céphise, à nous venger :
1120 Nous lui laissons un maître, il le doit ménager.
Qu'il ait de ses aïeux un souvenir modeste :
Il est du sang d'Hector, mais il en est le reste ;
Et pour ce reste enfin, j'ai moi-même, en un jour,
Sacrifié mon sang, ma haine, et mon amour.

CÉPHISE

1125 Hélas !

---

1. *Où ... rangée :* auquel je me suis soumise.
2. *Éclaté :* ont gagné leur éclat, sont devenus célèbres.

Andromaque (Geneviève Casile).
Mise en scène de Marcelle Tassencourt.
Festival de Versailles, 1983-1984.

127

ANDROMAQUE

Ne me suis point, si ton cœur en alarmes
Prévoit qu'il ne pourra commander à tes larmes.
On vient. Cache tes pleurs, Céphise, et souviens-toi
Que le sort d'Andromaque est commis[1] à ta foi.
C'est Hermione. Allons, fuyons sa violence.

1. *Commis :* confié.

Acte IV Scène 1

REVIREMENT SUR REVIREMENT

1. Que s'est-il passé durant l'entracte ? Que vous apprennent les premiers mots de Céphise ?

2. Pourquoi Andromaque ne répond-elle d'abord que par des phrases brèves ?

3. Entre quelles forces intérieures Andromaque est-elle partagée ?

4. Quel est le projet qu'Andromaque a formé ? Résumez-le en une phrase. Vous paraît-il réaliste ? Justifiez votre réponse.

5. Quel sentiment s'exprime au vers 1101 ?

6. Quelle mission est confiée à Céphise, dans les vers 1102 à 1124 ? À quel passage de l'acte précédent ces vers font-ils écho ? Comparez les deux passages et essayez de définir quel effet ils peuvent produire sur le spectateur.

PYRRHUS VU PAR ANDROMAQUE :
« VIOLENT, MAIS SINCÈRE... »

7. Quels renseignements Céphise donne-t-elle sur l'attitude de Pyrrhus ? Quelle importance a le fait qu'il ait placé sa propre garde auprès d'Astyanax ?

8. Andromaque considère-t-elle Pyrrhus de la même façon que Céphise ? Quels sont les adjectifs qu'elle emploie à son sujet ? Vous semblent-ils justifiés ? Sont-ils davantage laudatifs ou péjoratifs (voir p. 227 et 228) ?

9. Aristote (voir p. 19), dans sa théorie de la tragédie, recommandait que les héros ne soient « ni tout à fait bons, ni tout à fait méchants » ; cela vous semble-t-il pouvoir s'appliquer à Pyrrhus tel que le voit Andromaque ? Justifiez votre réponse.

10. Comment comprenez-vous les vers 1095 - 1096 ?

SCÈNE 2. HERMIONE, CLÉONE.

CLÉONE

1130 Non, je ne puis assez admirer[1] ce silence.
Vous vous taisez, Madame, et ce cruel mépris
N'a pas du moindre trouble agité vos esprits[2] !
Vous soutenez en paix[3] une si rude attaque,
Vous qu'on voyait frémir au seul nom d'Andromaque !
1135 Vous qui sans désespoir ne pouviez endurer
Que Pyrrhus d'un regard la voulût honorer !
Il l'épouse, il lui donne, avec son diadème,
La foi que vous venez de recevoir vous-même,
Et votre bouche encor, muette à tant d'ennui,
1140 N'a pas daigné s'ouvrir pour se plaindre de lui ?
Ah ! que je crains, Madame, un calme si funeste,
Et qu'il vaudrait bien mieux...

HERMIONE

Fais-tu venir Oreste ?

CLÉONE

Il vient, Madame, il vient, et vous pouvez juger
Que bientôt à vos pieds il allait se ranger[4] ;
1145 Prêt à servir toujours sans espoir de salaire,
Vos yeux ne sont que trop assurés de lui plaire.
Mais il entre.

---

1. *Admirer* : m'étonner de.
2. *Esprits* : pensées et sentiments.
3. *En paix* : en restant calme, sans vous révolter.
4. *Il allait se ranger* : il était tout disposé à venir recevoir vos ordres.

SCÈNE 3. ORESTE, HERMIONE, CLÉONE.

ORESTE

Ah ! Madame ! est-il vrai qu'une fois
Oreste en vous cherchant obéisse à vos lois ?
Ne m'a-t-on point flatté d'une fausse espérance ?
1150 Avez-vous en effet[1] souhaité ma présence ?
Croirai-je que vos yeux, à la fin désarmés,
Veulent...

HERMIONE

Je veux savoir, Seigneur, si vous m'aimez.

ORESTE

Si je vous aime ? ô dieux ! Mes serments, mes parjures,
Ma fuite, mon retour, mes respects, mes injures,
1155 Mon désespoir, mes yeux de pleurs toujours noyés,
Quels témoins croirez-vous, si vous ne les croyez ?

HERMIONE

Vengez-moi, je crois tout.

ORESTE

Eh bien ! allons, Madame :
Mettons encore un coup[2] toute la Grèce en flamme ;
Prenons, en signalant[3] mon bras et votre nom,
1160 Vous, la place d'Hélène, et moi, d'Agamemnon.
De Troie en ce pays réveillons les misères,
Et qu'on parle de nous ainsi que de nos pères.
Partons, je suis tout prêt.

HERMIONE

Non, Seigneur, demeurons :
Je ne veux pas si loin porter de tels affronts.

---

1. *En effet* : réellement.
2. *Encore un coup* : encore une fois ; cette formule fait partie du langage soutenu, à l'époque de Racine.
3. *En signalant* : en rendant célèbres.

1165 Quoi ! de mes ennemis couronnant l'insolence,
J'irais attendre ailleurs une lente vengeance ?
Et je m'en remettrais au destin des combats,
Qui peut-être à la fin ne me vengerait pas ?
Je veux qu'à mon départ toute l'Épire pleure.
1170 Mais si vous me vengez, vengez-moi dans une heure.
Tous vos retardements sont pour moi des refus.
Courez au temple. Il faut immoler...

ORESTE

Qui ?

HERMIONE

Pyrrhus.

ORESTE

Pyrrhus, Madame !

Oreste (Hervé Bellon) et Hermione (Nita Klein).
Mise en scène de Marcelle Tassencourt.
Festival de Versailles, 1983-1984.

HERMIONE

Eh quoi ! votre haine chancelle ?
Ah ! courez, et craignez que je ne vous rappelle.
1175 N'alléguez point des droits que je veux oublier ;
Et ce n'est pas à vous à le justifier.

ORESTE

Moi, je l'excuserais ? Ah ! vos bontés, Madame,
Ont gravé trop avant ses crimes dans mon âme.
Vengeons-nous, j'y consens, mais par d'autres chemins[1] :
1180 Soyons ses ennemis, et non ses assassins ;
Faisons de sa ruine une juste conquête[2].
Quoi ! pour réponse aux Grecs porterai-je sa tête ?
Et n'ai-je pris sur moi le soin de tout l'État[3],
Que pour m'en acquitter par un assassinat ?
1185 Souffrez, au nom des dieux, que la Grèce s'explique,
Et qu'il meure chargé de la haine publique.
Souvenez-vous qu'il règne, et qu'un front couronné...

HERMIONE

Ne vous suffit-il pas que je l'ai[4] condamné ?
Ne vous suffit-il pas que ma gloire offensée
1190 Demande une victime à moi seule adressée ;
Qu'Hermione est le prix d'un tyran opprimé[5] ;
Que je le hais ; enfin, Seigneur, que je l'aimai ?
Je ne m'en cache point : l'ingrat m'avait su plaire,
Soit qu'ainsi l'ordonnât mon amour ou mon père,
1195 N'importe ; mais enfin réglez-vous là-dessus.

---

1. *Chemins* : moyens.
2. *Faisons ... conquête* : que sa défaite (la ruine de l'Épire) soit le résultat d'une guerre justifiée.
3. *Le soin de tout l'État* : en sa qualité d'ambassadeur, Oreste représente toute la confédération grecque.
4. *Ai* : usage de l'indicatif, là où aujourd'hui on emploierait plutôt le subjonctif.
5. *Opprimé* : vaincu et tué (l'expression fait une alliance de mots inattendue, puisque d'ordinaire ce sont les tyrans qui oppriment).

Malgré mes vœux, Seigneur, honteusement déçus,
Malgré la juste horreur que son crime me donne,
Tant qu'il vivra, craignez que je ne lui pardonne.
Doutez jusqu'à sa mort d'un courroux incertain :
1200 S'il ne meurt aujourd'hui, je puis l'aimer demain.

ORESTE

Eh bien ! Il faut le perdre, et prévenir sa grâce[1] ;
Il faut... Mais cependant que faut-il que je fasse ?
Comment puis-je si tôt servir votre courroux ?
Quel chemin jusqu'à lui peut conduire mes coups ?
1205 À peine suis-je encore arrivé dans l'Épire,
Vous voulez par mes mains renverser un empire,
Vous voulez qu'un roi meure, et pour son châtiment
Vous ne donnez qu'un jour, qu'une heure, qu'un moment !
Aux yeux de tout son peuple, il faut que je l'opprime !
1210 Laissez-moi vers l'autel conduire ma victime,
Je ne m'en défends plus ; et je ne veux qu'aller
Reconnaître la place où je dois l'immoler.
Cette nuit je vous sers, cette nuit je l'attaque.

HERMIONE

Mais cependant, ce jour, il épouse Andromaque !
1215 Dans le temple déjà le trône est élevé,
Ma honte est confirmée, et son crime achevé.
Enfin qu'attendez-vous ? Il vous offre sa tête :
Sans gardes, sans défense, il marche à cette fête ;
Autour du fils d'Hector il les fait tous ranger ;
1220 Il s'abandonne au bras qui me voudra venger.
Voulez-vous malgré lui prendre soin de sa vie[2] ?
Armez, avec vos Grecs, tous ceux qui m'ont suivie ;

---

1. *Prévenir sa grâce :* agir avant qu'Hermione ne change d'avis et
pardonne à Pyrrhus.
2. *Prendre soin de sa vie :* protéger sa vie, alors que lui-même ne
s'en soucie pas.

Soulevez vos amis, tous les miens sont à vous :
Il me trahit, vous trompe, et nous méprise tous.
225 Mais quoi ? déjà leur haine est égale à la mienne :
Elle épargne à regret l'époux d'une Troyenne.
Parlez : mon ennemi ne vous peut échapper,
Ou plutôt il ne faut que les laisser frapper.
Conduisez ou suivez une fureur[1] si belle ;
230 Revenez tout couvert du sang de l'infidèle ;
Allez : en cet état soyez sûr de mon cœur.

ORESTE

Mais, Madame, songez...

HERMIONE

Ah ! c'en est trop, Seigneur.
Tant de raisonnements offensent ma colère.
J'ai voulu vous donner les moyens de me plaire,
235 Rendre Oreste content ; mais enfin je vois bien
Qu'il veut toujours se plaindre, et ne mériter rien.
Partez : allez ailleurs vanter votre constance,
Et me laissez ici le soin de ma vengeance.
De mes lâches bontés mon courage est confus,
240 Et c'est trop en un jour essuyer de refus.
Je m'en vais seule au temple où leur hymen s'apprête,
Où vous n'osez aller mériter ma conquête.
Là, de mon ennemi je saurai m'approcher,
Je percerai le cœur[2] que je n'ai pu toucher,
245 Et mes sanglantes mains, sur moi-même tournées,
Aussitôt, malgré lui, joindront nos destinées ;
Et tout ingrat qu'il est, il me sera plus doux
De mourir avec lui que de vivre avec vous.

---

1. *Fureur* : ici, mouvement de très violente colère.
2. *Cœur* : ce mot est ici encore employé à la fois au sens propre et au sens figuré.

ORESTE

Non, je vous priverai de ce plaisir funeste,
1250 Madame : il ne mourra que de la main d'Oreste.
Vos ennemis par moi vont vous être immolés,
Et vous reconnaîtrez mes soins[1], si vous voulez.

HERMIONE

Allez. De votre sort laissez-moi la conduite,
Et que tous vos vaisseaux soient prêts pour notre fuite.

---

1. *Vous reconnaîtrez mes soins* : vous récompenserez mes services.

Acte IV Scènes 2 et 3

UNE AMOUREUSE FOLLE DE JALOUSIE

1. Pourquoi Hermione parle-t-elle si peu dans la scène 2 ? Que sous-entendent les quelques mots qu'elle prononce ?

2. Quel sentiment domine dans les propos de Cléone (v. 1130 à 1147) ?

3. Quelle remarque peut-on faire sur les répliques d'Hermione dans la scène 3 ? Et sur celles d'Oreste ?

4. Qu'exige Hermione d'Oreste ? Quels sont les trois arguments principaux qu'elle utilise successivement pour le convaincre ? Lequel finit par être décisif ?

TRAGÉDIE ET RÉGICIDE

5. Dans les mentalités de l'Ancien Régime, le régicide était considéré comme le pire des crimes. Comment les réactions d'Oreste expriment-elles cette conception ?

6. Oreste, avant d'accepter, envisage une autre hypothèse et avance des arguments d'ordre politique (v. 1180 à 1187). Lesquels ?

7. À quel moment Hermione l'interrompt-elle ? Pourquoi ?

8. Quelle autre solution Oreste proposait-il à Hermione ? Quelle est la différence avec ce qu'elle exige ? Pourquoi refuse-t-elle ?

9. En quoi l'acceptation d'Oreste est-elle liée au projet qu'il avait lui-même formé ? En quoi en est-elle différente ? Quelle image nouvelle donne-t-elle de son personnage aux yeux du spectateur ?

SCÈNE 4. HERMIONE, CLÉONE.

CLÉONE

1255 Vous vous perdez, Madame, et vous devez songer...

HERMIONE

Que je me perde ou non, je songe à me venger.
Je ne sais même encor, quoi qu'il m'ait pu promettre,
Sur d'autres que sur moi[1] si je dois m'en remettre :
Pyrrhus n'est pas coupable à ses yeux comme aux miens,
1260 Et je tiendrais[2] mes coups bien plus sûrs que les siens.
Quel plaisir de venger moi-même mon injure,
De retirer mon bras teint du sang du parjure,
Et pour rendre sa peine et mes plaisirs plus grands,
De cacher ma rivale à ses regards mourants !
1265 Ah ! si du moins Oreste, en punissant son crime,
Lui laissait le regret de mourir ma victime !
Va le trouver : dis-lui qu'il apprenne à l'ingrat
Qu'on l'immole à ma haine, et non pas à l'État.
Chère Cléone, cours : ma vengeance est perdue
1270 S'il ignore en mourant que c'est moi qui le tue.

CLÉONE

Je vous obéirai ! Mais qu'est-ce que je voi ?
Ô dieux ! qui l'aurait cru, Madame ? C'est le roi !

HERMIONE

Ah ! cours après Oreste ; et dis-lui, ma Cléone,
Qu'il n'entreprenne rien sans revoir Hermione !

---

1. *Sur d'autres que sur moi :* à d'autres qu'à moi.
2. *Je tiendrais :* je serais certaine que, j'estimerais.

SCÈNE 5.   PYRRHUS, HERMIONE, PHŒNIX.

PYRRHUS

1275 Vous ne m'attendiez pas, Madame, et je vois bien
Que mon abord[1] ici trouble votre entretien.
Je ne viens point, armé d'un indigne artifice,
D'un voile d'équité couvrir mon injustice :
Il suffit que mon cœur me condamne tout bas,
1280 Et je soutiendrais mal ce que je ne crois pas.
J'épouse une Troyenne. Oui, Madame, et j'avoue
Que je vous ai promis la foi que je lui voue.
Un autre vous dirait que dans les champs troyens
Nos deux pères sans nous formèrent ces liens,
1285 Et que sans consulter ni mon choix ni le vôtre,
Nous fûmes sans amour engagés l'un à l'autre ;
Mais c'est assez pour moi que je me sois soumis.
Par mes ambassadeurs mon cœur vous fut promis ;
Loin de les révoquer, je voulus y souscrire[2] :
1290 Je vous vis avec eux arriver en Épire,
Et quoique d'un autre œil l'éclat victorieux
Eût déjà prévenu le pouvoir de vos yeux,
Je ne m'arrêtai point à cette ardeur[3] nouvelle ;
Je voulus m'obstiner à vous être fidèle :
1295 Je vous reçus en reine, et jusques à ce jour
J'ai cru que mes serments me tiendraient lieu d'amour.
Mais cet amour l'emporte, et par un coup funeste,
Andromaque m'arrache un cœur qu'elle déteste.
L'un par l'autre entraînés, nous courons à l'autel

---

1. *Abord* : au sens premier, arrivée.
2. *Loin ... souscrire* : loin de les désavouer, je voulus vous aimer.
3. *Ardeur* : amour.

1300 Nous jurer malgré nous un amour immortel.
Après cela, Madame, éclatez[1] contre un traître,
Qui l'est avec douleur, et qui pourtant veut l'être.
Pour moi, loin de contraindre[2] un si juste courroux,
Il me soulagera peut-être autant que vous.
1305 Donnez-moi tous les noms destinés aux parjures :
Je crains votre silence, et non pas vos injures ;
Et mon cœur, soulevant mille secrets témoins,
M'en dira d'autant plus que vous m'en direz moins.

HERMIONE

Seigneur, dans cet aveu dépouillé d'artifice,
1310 J'aime à voir que du moins vous vous rendiez justice,
Et que voulant bien[3] rompre un nœud si solennel,
Vous vous abandonniez au crime en criminel.
Est-il juste, après tout, qu'un conquérant s'abaisse
Sous la servile loi de garder sa promesse ?
1315 Non, non, la perfidie a de quoi vous tenter ;
Et vous ne me cherchez que pour vous en vanter.
Quoi ? sans que ni serment ni devoir vous retienne,
Rechercher une Grecque, amant d'une Troyenne ?
Me quitter, me reprendre, et retourner encor
1320 De la fille d'Hélène à la veuve d'Hector,
Couronner tour à tour l'esclave et la princesse,
Immoler Troie aux Grecs, au fils d'Hector la Grèce ?
Tout cela part d'un cœur toujours maître de soi,
D'un héros qui n'est point esclave de sa foi.
1325 Pour plaire à votre épouse, il vous[4] faudrait peut-être
Prodiguer les doux noms de parjure et de traître.
Vous veniez de mon front observer la pâleur,
Pour aller dans ses bras rire de ma douleur.

---

1. *Éclatez :* laissez s'exprimer vos sentiments avec toute leur violence.
2. *Loin de contraindre :* loin de faire obstacle, de vous obliger à refouler.
3. *Voulant bien :* étant bien décidé à.
4. *Vous :* complément de « prodiguer ».

Pleurante après son char vous voulez qu'on me voie ;
1330 Mais, Seigneur, en un jour ce serait trop de joie ;
Et sans chercher ailleurs des titres empruntés[1],
Ne vous suffit-il pas de ceux que vous portez ?
Du vieux père d'Hector la valeur abattue
Aux pieds de sa famille expirante à sa vue,
1335 Tandis que dans son sein votre bras enfoncé
Cherche un reste de sang que l'âge avait glacé ;
Dans des ruisseaux de sang Troie ardente plongée ;
De votre propre main Polyxène égorgée
Aux yeux de tous les Grecs indignés contre vous :
1340 Que peut-on refuser à ces généreux coups !

PYRRHUS

Madame, je sais trop à quel excès de rage
La vengeance d'Hélène emporta mon courage.
Je puis me plaindre à vous[2] du sang que j'ai versé ;
Mais enfin je consens d'oublier le passé.
1345 Je rends grâces au ciel que votre indifférence
De mes heureux soupirs m'apprenne l'innocence.
Mon cœur, je le vois bien, trop prompt à se gêner, *en effet !*
Devait mieux vous connaître et mieux s'examiner.
Mes remords vous faisaient une injure mortelle.
1350 Il faut se croire aimé pour se croire infidèle.
Vous ne prétendiez point m'arrêter dans vos fers :
Je crains de vous trahir, peut-être je vous sers.
Nos cœurs n'étaient point faits dépendants l'un de l'autre ;
Je suivais mon devoir, et vous cédiez au vôtre ;
1355 Rien ne vous engageait à m'aimer en effet.

HERMIONE

Je ne t'ai point aimé, cruel ? Qu'ai-je donc fait ?
J'ai dédaigné pour toi les vœux de tous nos princes ;
Je t'ai cherché moi-même au fond de tes provinces ;

---

1. *Des titres empruntés :* de fausses raisons pour plaire à Andromaque.
2. *Me plaindre à vous :* vous rendre responsable.

J'y suis encor, malgré tes infidélités,
1360 Et malgré tous mes Grecs honteux de mes bontés.
Je leur ai commandé de cacher mon injure[1] ;
J'attendais en secret le retour d'un parjure ;
J'ai cru que tôt ou tard, à ton devoir rendu,
Tu me rapporterais un cœur qui m'était dû.
1365 Je t'aimais inconstant, qu'aurais-je fait fidèle[2] ?
Et même en ce moment où ta bouche cruelle
Vient si tranquillement m'annoncer le trépas,
Ingrat, je doute encor si je ne t'aime pas.
Mais, Seigneur, s'il le faut, si le ciel en colère
1370 Réserve à d'autres yeux la gloire de vous plaire,
Achevez votre hymen, j'y consens ; mais du moins
Ne forcez pas mes yeux d'en être les témoins.
Pour la dernière fois je vous parle peut-être.
Différez-le d'un jour, demain, vous serez maître...
1375 Vous ne répondez point ? Perfide, je le voi :
Tu comptes les moments que tu perds avec moi !
Ton cœur, impatient de revoir ta Troyenne,
Ne souffre qu'à regret qu'un autre t'entretienne.
Tu lui parles du cœur, tu la cherches des yeux.
1380 Je ne te retiens plus, sauve-toi de ces lieux,
Va lui jurer la foi que tu m'avais jurée,
Va profaner des dieux la majesté sacrée.
Ces dieux, ces justes dieux n'auront pas oublié
Que les mêmes serments avec moi t'ont lié.
1385 Porte au pied des autels ce cœur qui m'abandonne,
Va, cours ; mais crains encor d'y trouver Hermione.

---

1. *Mon injure* : l'injure que je subis.
2. *Qu'aurais-je fait fidèle* : à quel point t'aurais-je aimé si tu avais été fidèle.

SCÈNE 6. PYRRHUS, PHŒNIX.

PHŒNIX

Seigneur, vous entendez. Gardez de négliger
Une amante en fureur qui cherche à se venger.
Elle n'est en ces lieux que trop bien appuyée :
1390 La querelle[1] des Grecs à la sienne est liée ;
Oreste l'aime encore, et peut-être à ce prix...

PYRRHUS

Andromaque m'attend. Phœnix, garde son fils.

---

1. *Querelle* : cause, parti.

Acte IV Scènes 4 à 6

INCERTITUDES ET BRUTALE FRANCHISE

1. Pourquoi Hermione veut-elle rappeler Oreste aux vers 1267 à 1270 ?

2. Pourquoi veut-elle le rappeler aux vers 1273 - 1274 ? Qu'en concluez-vous ?

3. Quel est le but de la visite de Pyrrhus à Hermione (scène 5) ? Est-ce courageux ? Est-ce habile ?

4. Quels arguments emploie Pyrrhus pour se justifier, aux vers 1353 à 1355 ? Sont-ils réellement fondés ? Quelle est la part de réalité qu'il refuse de voir ?

LE CRI DE LA PASSION BLESSÉE

5. Quel est le ton d'Hermione au début de sa première tirade (v. 1309 à 1340) ?

6. Pourquoi évoque-t-elle encore le moment de la destruction de Troie (v. 1333 à 1340) ?

7. Quel est le ton d'Hermione au vers 1357 ?

8. Quand change-t-il ensuite ? Citez le texte.

9. Y a-t-il encore une autre variation de ton ? À quel moment de la tirade ? Que signifie cette instabilité dans les propos d'Hermione ?

10. Phœnix a-t-il bien compris l'état d'esprit d'Hermione (scène 6) ?

11. Sur quel ton doit être dit le dernier vers de Pyrrhus (v. 1392) ? Que laisse-t-il prévoir au spectateur ?

Acte V

SCÈNE 1.   HERMIONE.

Où suis-je ? Qu'ai-je fait ? Que dois-je faire encore ?
Quel transport me saisit ? Quel chagrin me dévore ?
1395 Errante et sans dessein je cours dans ce palais.
Ah ! ne puis-je savoir si j'aime ou si je hais ?
Le cruel ! de quel œil il m'a congédiée !
Sans pitié, sans douleur au moins étudiée[1] !
L'ai-je vu se troubler et me plaindre un moment ?
1400 En ai-je pu tirer un seul gémissement ?
Muet à mes soupirs, tranquille à mes alarmes,
Semblait-il seulement qu'il eut part à mes larmes ?
Et je le plains encore ! Et pour comble d'ennui,
Mon cœur, mon lâche cœur s'intéresse pour[2] lui !
1405 Je tremble au seul penser[3] du coup qui le menace !
Et prête à me venger[4], je lui fais déjà grâce !
Non, ne révoquons point l'arrêt[5] de mon courroux :
Qu'il périsse ! aussi bien il ne vit plus pour nous.
Le perfide triomphe et se rit de ma rage :
1410 Il pense voir en pleurs dissiper[6] cet orage ;
Il croit que toujours faible et d'un cœur incertain,

---

1. *Au moins étudiée* : ne serait-ce que simulée, feinte.
2. *S'intéresse pour* : prend parti en sa faveur.
3. *Au seul penser* : à la seule pensée (l'inflnitif substantivé appartenait au style soutenu).
4. *Prête à me venger* : sur le point de me venger.
5. *Arrêt* : décision.
6. *Dissiper* : construction très condensée ; nous écririons aujourd'hui « se dissiper ».

Je parerai d'un bras les coups de l'autre main.
Il juge encor de moi par mes bontés passées.
Mais plutôt le perfide a bien d'autres pensées :
1415 Triomphant dans le temple, il ne s'informe pas
Si l'on souhaite ailleurs sa vie ou son trépas.
Il me laisse, l'ingrat, cet embarras funeste.
Non, non, encore un coup, laissons agir Oreste.
Qu'il meure, puisque enfin il a dû le prévoir,
1420 Et puisqu'il m'a forcée enfin à le vouloir...
À le vouloir ? Hé quoi ? c'est donc moi qui l'ordonne ?
Sa mort sera l'effet de l'amour d'Hermione ?

Hermione (Miou-Miou). Mise en scène de Roger Planchon.
T.N.P. de Lyon, 1989.

146

Ce prince, dont mon cœur se faisait autrefois
Avec tant de plaisir redire les exploits,
1425 À qui même en secret je m'étais destinée
Avant qu'on eût conclu ce fatal hyménée,
Je n'ai donc traversé tant de mers, tant d'États,
Que pour venir si loin préparer son trépas ?
L'assassiner ? le perdre ? Ah ! devant[1] qu'il expire...

---

1. *Devant :* avant (« devant » était déjà vieilli en ce sens à cette époque).

147

Acte V Scène 1

LE DÉLIRE DE LA JALOUSIE

1. Qu'est-ce qui caractérise les premières phrases que prononce Hermione ? Justifiez votre réponse en citant le texte.

2. Relevez, dans les vers 1393 à 1409, les mots qui expriment le trouble de son esprit.

3. Relevez les mots et les figures de style (pronoms, noms propres, synecdoques [voir p. 230]...) par lesquels Hermione se désigne elle-même. Qu'en concluez-vous ?

4. Quels sont les trois thèmes principaux qui scandent ce monologue ? Hermione aime-t-elle encore Pyrrhus ? Justifiez votre réponse.

5. Pourquoi Hermione s'est-elle interrompue au milieu d'une phrase (v. 1420 - 1421) ? Quel effet Racine a-t-il visé auprès du public ?

6. Quel effet produit l'interruption suivante ?

L'ART DU MONOLOGUE

7. Cette scène constitue l'un des monologues de la pièce : comparez-le avec les autres. Qu'en concluez-vous ?

8. Y a-t-il ici de la vraisemblance (voir p. 231) à ce qu'Hermione parle, seule, à haute voix ? Pourquoi ?

9. Que reproche surtout Hermione à Pyrrhus ? Y a-t-il une gradation dans ses reproches ? Relevez les mots du texte qui peuvent justifier votre réponse.

10. Quelle est l'information nouvelle qu'apporte le vers 1425 ? En quoi explique-t-elle mieux la folie jalouse d'Hermione ?

SCÈNE 2. HERMIONE, CLÉONE.

HERMIONE

1430 Ah ! qu'ai-je fait, Cléone ? et que viens-tu me dire ?
Que fait Pyrrhus ?

CLÉONE

Il est au comble de ses vœux,
Le plus fier des mortels, et le plus amoureux.
Je l'ai vu vers le temple, où son hymen s'apprête,
Mener en conquérant[1] sa nouvelle conquête,
1435 Et d'un œil où brillaient sa joie et son espoir,
S'enivrer en marchant du plaisir de la voir.
Andromaque, au travers de mille cris de joie,
Porte jusqu'aux autels le souvenir de Troie.
Incapable toujours d'aimer et de haïr,
1440 Sans joie et sans murmure elle semble obéir.

HERMIONE

Et l'ingrat ? jusqu'au bout il a poussé l'outrage ?
Mais as-tu bien, Cléone, observé son visage ?
Goûte-t-il des plaisirs tranquilles et parfaits ?
N'a-t-il point détourné ses yeux vers le palais ?
1445 Dis-moi, ne t'es-tu point présentée à sa vue ?
L'ingrat a-t-il rougi lorsqu'il t'a reconnue ?
Son trouble avouait-il son infidélité ?
A-t-il jusqu'à la fin soutenu sa fierté[2] ?

CLÉONE

Madame, il ne voit rien. Son salut et sa gloire
1450 Semblent être avec vous sortis de sa mémoire.
Sans songer qui le suit, ennemis ou sujets,

---

1. *En conquérant* : avec la fierté d'un vainqueur (jeu sur la métaphore
guerrière de la conquête appliquée au domaine amoureux, comme il
était alors fréquent dans le langage galant).
2. *Soutenu sa fierté* : conservé, maintenu la même attitude fière.

Il poursuit seulement ses amoureux projets.
Autour du fils d'Hector il a rangé sa garde,
Et croit que c'est lui seul que le péril regarde[1].
1455 Phœnix même en répond[2], qui l'a conduit exprès
Dans un fort éloigné du temple et du palais.
Voilà dans ses transports le seul soin qui lui reste.

HERMIONE

Le perfide ! Il mourra. Mais que t'a dit Oreste ?

CLÉONE

Oreste avec ses Grecs dans le temple est entré.

HERMIONE

1460 Hé bien ! à me venger n'est-il pas préparé ?

CLÉONE

Je ne sais.

HERMIONE

              Tu ne sais ? Quoi donc ? Oreste encore,
Oreste me trahit ?

CLÉONE

                   Oreste vous adore.
Mais de mille remords son esprit combattu
Croit tantôt son amour et tantôt sa vertu.
1465 Il respecte en Pyrrhus l'honneur du diadème ;
Il respecte en Pyrrhus Achille et Pyrrhus même ;
Il craint la Grèce, il craint l'univers en courroux,
Mais il se craint, dit-il, soi-même[3] plus que tous.
Il voudrait en vainqueur vous apporter sa tête ;
1470 Le seul nom d'assassin l'épouvante et l'arrête.

*encore le
même combat !*

---

1. *C'est lui ... regarde :* seul le fils d'Hector est en danger.
2. *En répond :* en a la responsabilité.
3. *Soi-même :* au XVIIᵉ siècle, on pouvait construire « soi » avec un antécédent déterminé, là où aujourd'hui nous mettrions « lui-même ».

Enfin il est entré, sans savoir dans son cœur
S'il en devait sortir coupable ou spectateur.

HERMIONE

Non, non, il les[1] verra triompher sans obstacle ;
Il se gardera bien de troubler ce spectacle.
1475 Je sais de quels remords son courage est atteint :
Le lâche craint la mort, et c'est tout ce qu'il craint.
Quoi ? sans qu'elle employât une seule prière,
Ma mère en sa faveur arma la Grèce entière ?
Ses yeux pour leur querelle, en dix ans de combats,
1480 Virent périr vingt rois qu'ils ne connaissaient pas ?
Et moi, je ne prétends[2] que la mort d'un parjure,
Et je charge un amant du soin de mon injure,
Il peut me conquérir à ce prix, sans danger,
Je me livre moi-même et ne puis me venger !
1485 Allons : c'est à moi seule à me rendre justice[3].
Que de cris de douleur le temple retentisse ;
De leur hymen fatal troublons l'événement[4],
Et qu'ils ne soient unis, s'il se peut, qu'un moment.
Je ne choisirai point dans ce désordre extrême :
1490 Tout me sera Pyrrhus, fût-ce Oreste lui-même.
Je mourrai ; mais au moins ma mort me vengera,
Je ne mourrai pas seule, et quelqu'un me suivra.

---

1. *Les :* Andromaque et Pyrrhus.
2. *Prétends :* demande.
3. *À me rendre justice :* à me faire justice.
4. *Événement :* issue.

151

Acte V Scène 2

INTÉRÊT DRAMATIQUE : L'ART DU SUSPENS

1. Quels sentiments révèlent les premières questions d'Hermione ?

2. Quelle image d'Andromaque donne la réponse de Cléone ?

3. Quels mots emploie Hermione dans les vers 1441 à 1448 pour parler de Pyrrhus ? Qu'espère-t-elle en fait ?

4. Quelle est l'importance des renseignements donnés dans les vers 1453 à 1457 ?

5. Quelle image est donnée d'Oreste ? Correspond-elle à ce que le spectateur a déjà vu de lui ?

6. Quel nouveau projet forme Hermione ? Vers quel dénouement la pièce semble-t-elle s'orienter ? Justifiez votre réponse en citant le texte.

LA FATALITÉ OU : LE MALHEUR DES PARENTS POURSUIT LES ENFANTS

7. À quoi Hermione fait-elle allusion dans les vers 1477 à 1480 ?

8. Peut-on dire que l'action d'Oreste serait « sans danger » (v. 1483) ? Pourquoi Hermione emploie-t-elle ce terme ?

9. Relevez les noms propres employés dans cette scène : à quoi font-ils tous allusion ? Quel écho cela peut-il avoir pour Hermione ? Comment envisage-t-elle d'agir elle-même ?

SCÈNE 3. ORESTE, HERMIONE, CLÉONE.

ORESTE

Madame, c'en est fait, et vous êtes servie :
Pyrrhus rend à l'autel son infidèle vie.

HERMIONE

1495 Il est mort ?

ORESTE

Il expire ; et nos Grecs irrités
Ont lavé dans son sang ses infidélités.
Je vous l'avais promis ; et quoique mon courage
Se fît de ce complot une funeste image,
1500 J'ai couru vers le temple, où nos Grecs dispersés
Se sont jusqu'à l'autel dans la foule glissés.
Pyrrhus m'a reconnu, mais sans changer de face[1] :
Il semblait que ma vue excitât son audace,
Que tous les Grecs, bravés en leur ambassadeur[2],
Dussent de son hymen relever la splendeur.
1505 Enfin, avec transport prenant son diadème,
Sur le front d'Andromaque il l'a posé lui-même :
« Je vous donne, a-t-il dit, ma couronne et ma foi !
Andromaque, régnez sur l'Épire et sur moi,
Je voue à votre fils une amitié[3] de père ;
1510 J'en atteste les dieux, je le jure à sa mère :
Pour tous mes ennemis je déclare les siens[4],
Et je le reconnais pour le roi des Troyens. »
À ces mots, qui du peuple attiraient le suffrage,
Nos Grecs n'ont répondu que par un cri de rage ;

---

1. *Face* : visage, expression.
2. *En leur ambassadeur* : en la personne de leur ambassadeur.
3. *Amitié* : amour.
4. *Pour tous ... les siens* : je proclame que désormais les ennemis d'Astyanax sont aussi les miens.

1515 L'infidèle[1] s'est vu partout envelopper[2],
Et je n'ai pu trouver de place pour frapper.
Chacun se disputait la gloire de l'abattre,
Je l'ai vu dans leurs mains quelque temps se débattre,
Tout sanglant à leurs coups vouloir se dérober,
1520 Mais enfin à l'autel il est allé tomber.
Du peuple épouvanté j'ai traversé la presse[3]
Pour venir de ces lieux enlever ma princesse,
Et regagner le port, où bientôt nos amis
Viendront couverts du sang que je vous ai promis.

HERMIONE

1525 Qu'ont-ils fait !

ORESTE

                    Pardonnez à leur impatience :
Ils ont, je le vois bien, trahi votre vengeance.
Vous vouliez que ma main portât les premiers coups,
Qu'il sentît en mourant qu'il expirait pour vous ;
Mais c'est moi dont l'ardeur leur a servi d'exemple :
1530 Je les ai pour vous seule entraînés dans le temple,
Madame, et vous pouvez justement vous flatter[4]
D'une mort que leurs bras n'ont fait qu'exécuter.
Vous seule avez poussé les coups...

HERMIONE

                            Tais-toi, perfide,
Et n'impute qu'à toi ton lâche parricide[5].
1535 Va faire chez tes Grecs admirer ta fureur,
Va ; je la désavoue, et tu me fais horreur.

---

1. *Infidèle* : au sens premier de « parjure », puisque Pyrrhus trahit le serment d'alliance qu'il avait fait avec les États grecs.
2. *Envelopper* : entourer, encercler.
3. *La presse* : la foule, la bousculade.
4. *Vous flatter* : tirer orgueil et fierté.
5. *Parricide* : au XVIIe siècle, et durant tout l'Ancien Régime, le meurtre d'un roi était assimilé à un parricide, puisque le roi était considéré comme le père de ses sujets.

Barbare, qu'as-tu fait ? Avec quelle furie
As-tu tranché le cours d'une si belle vie ?
Avez-vous pu, cruels, l'immoler aujourd'hui,
1540 Sans que tout votre sang se soulevât pour lui ?
Mais parle : de son sort qui t'a rendu l'arbitre ?
Pourquoi l'assassiner ? Qu'a-t-il fait ? À quel titre ?
Qui te l'a dit ?

ORESTE

Ô dieux ! Quoi ? ne m'avez-vous pas
Vous-même, ici, tantôt, ordonné son trépas ?

HERMIONE

1545 Ah ! fallait-il en croire une amante insensée ?
Ne devais-tu pas[1] lire au fond de ma pensée ?
Et ne voyais-tu pas, dans mes emportements,
Que mon cœur démentait ma bouche à tous moments ?
Quand je l'aurais voulu, fallait-il y souscrire ?
1550 N'as-tu pas dû cent fois te le faire redire ?
Toi-même avant le coup me venir consulter,
Y revenir encore, ou plutôt m'éviter ?
Que ne me laissais-tu le soin de ma vengeance ?
Qui[2] t'amène en des lieux où l'on fuit ta présence ?
1555 Voilà de ton amour le détestable fruit :
Tu m'apportais, cruel, le malheur qui te suit.
C'est toi dont l'ambassade, à tous les deux fatale,
L'a fait pour son malheur pencher vers ma rivale.
Nous le verrions encor nous partager ses soins[3] ;
1560 Il m'aimerait peut-être, il le feindrait du moins.
Adieu. Tu peux partir. Je demeure en Épire :
Je renonce à la Grèce, à Sparte, à son empire,
A toute ma famille ; et c'est assez pour moi,
Traître, qu'elle ait produit un monstre comme toi.

---

1. *Ne devais-tu pas* : n'aurais-tu pas dû.
2. *Qui* : qu'est-ce qui.
3. *Soins* : ici, attentions amoureuses.

155

Acte V Scène 3

DÉNOUEMENT ET PÉRIPÉTIE

1. Encore un « c'en est fait » (v. 1493) : que signifie, cette fois, cette expression ?

2. Comment évoluent les répliques d'Oreste et d'Hermione au long de la scène ? Qu'est-ce que cela indique ?

3. Qu'est-ce exactement qui a provoqué la mort de Pyrrhus (citez le texte) ? Comment les questions politiques et la passion amoureuse se trouvent-elles mêlées à ce moment ?

4. Que pensez-vous des détails qui sont donnés sur la mort de Pyrrhus ? Quel(s) effet(s) peuvent-ils produire sur les personnages ? sur les spectateurs ?

5. Quelle peut être, sur scène, l'attitude d'Hermione pendant le récit d'Oreste ?

6. Pourquoi Oreste éprouve-t-il le besoin de se justifier (v. 1525 à 1533) ? Que n'a-t-il pas compris ? Qu'éprouve Hermione en réalité ?

L'ULTIME CONTRADICTION

7. Comment comprenez-vous les vers 1541 à 1543 ? Dans quel état se trouve alors Hermione ?

8. Pourquoi accuse-t-elle Oreste ?

9. Quels sont les noms propres que prononce Hermione à la fin de sa tirade ? Comparez avec ceux qui étaient cités à la scène précédente. Qu'en concluez-vous ? Quels échos cela peut-il avoir pour le spectateur ou le lecteur (voir p. 166) ?

SCÈNE 4.   ORESTE, *seul.*

1565 Que vois-je ? Est-ce Hermione ? Et que viens-je d'entendre ?
Pour qui coule le sang que je viens de répandre ?
Je suis, si je l'en crois, un traître, un assassin.
Est-ce Pyrrhus qui meurt ? et suis-je Oreste enfin ?
Quoi ? j'étouffe en mon cœur la raison qui m'éclaire,
1570 J'assassine à regret un roi que je révère,
Je viole en un jour les droits des souverains,
Ceux des ambassadeurs, et tous ceux des humains,
Ceux même des autels où ma fureur l'assiège :
Je deviens parricide, assassin, sacrilège :
1575 Pour qui ? pour une ingrate à qui je le promets,
Qui même, s'il ne meurt, ne me verra jamais,
Dont j'épouse[1] la rage ! Et quand je l'ai servie,
Elle me redemande et son sang et sa vie[2] !
Elle l'aime ! et je suis un monstre furieux !
1580 Je la vois pour jamais s'éloigner de mes yeux !
Et l'ingrate en fuyant me laisse pour salaire
Tous les noms odieux que j'ai pris pour lui plaire !

SCÈNE 5.   ORESTE, PYLADE,
SOLDATS D'ORESTE.

PYLADE

Il faut partir, Seigneur. Sortons de ce palais,
Ou bien résolvons-nous de[3] n'en sortir jamais.
1585 Nos Grecs pour un moment en défendent la porte ;

---

1. *J'épouse* : j'adopte, je partage.
2. *Son sang et sa vie* : le sang et la vie de Pyrrhus.
3. *De* : à (voir le vers 443).

157

N.B.

Tout le peuple assemblé nous poursuit à main forte[1] ;
Aux ordres d'Andromaque ici tout est soumis,
Ils la traitent en reine, et nous comme ennemis.
Andromaque elle-même, à Pyrrhus si rebelle,
1590 Lui rend tous les devoirs d'une veuve fidèle,
Commande qu'on le venge, et peut-être sur nous
Veut venger Troie encore et son premier époux.
Allons, n'attendons pas que l'on nous environne[2] :
Nos Grecs nous rejoindront ; et tandis qu'Hermione
1595 Tient encore le peuple autour d'elle arrêté,
Voilà notre chemin, sortons en sûreté.

ORESTE

Non, non, c'est Hermione, amis, que je veux suivre.
À son dernier arrêt je ne puis plus survivre.
Partez : j'ai fait le crime, et je vais l'expier.

PYLADE

1600 Hermione, Seigneur ? Il la faut oublier.
Quoi ! toujours l'instrument et l'objet de sa rage,
Cherchez-vous chez les morts quelque nouvel outrage ?
Et parce qu'elle meurt faut-il que vous mouriez ?

ORESTE

Elle meurt ? Dieux ! qu'entends-je ?

PYLADE

Eh quoi ? vous l'ignoriez ?
1605 En rentrant dans ces lieux nous l'avons rencontrée
Qui courait vers le temple, inquiète, égarée[3].
Elle a trouvé Pyrrhus porté sur[4] des soldats
Que son sang excitait à venger son trépas.

---

1. *À main forte* : en armes.
2. *Environne* : encercle.
3. *Égarée* : ayant perdu la raison (« inquiète » signifie, au sens premier, qui a perdu tout son calme).
4. *Sur* : par.

Sans doute à cet objet[1] sa rage s'est émue.
1610 Mais du haut de la porte[2] enfin nous l'avons vue
Un poignard à la main sur Pyrrhus se courber,
Lever les yeux au ciel, se frapper et tomber.

ORESTE

Grâce aux dieux ! Mon malheur passe[3] mon espérance !
Oui, je te loue, ô ciel, de ta persévérance !
1615 Appliqué sans relâche au soin de me punir,
Au comble des douleurs tu m'as fait parvenir.
Ta haine a pris plaisir à former ma misère[4] ;
J'étais né pour servir d'exemple à[5] ta colère,
Pour être du malheur un modèle accompli.
1620 Hé bien ! je meurs content, et mon sort est rempli.
Où sont ces deux amants ? Pour couronner ma joie,
Dans leur sang, dans le mien, il faut que je me noie ;
L'un et l'autre en mourant je les veux regarder :
Réunissons trois cœurs qui n'ont pu s'accorder...
1625 Mais quelle épaisse nuit tout à coup m'environne ?
De quel côté sortir ? D'où vient que je frissonne ?
Quelle horreur me saisit ! Grâce au ciel j'entrevoi...
Dieux ! quels ruisseaux de sang coulent autour de moi !

PYLADE

Ah ! Seigneur !

ORESTE

Quoi ? Pyrrhus, je te rencontre encore ?
1630 Trouverai-je partout un rival que j'abhorre[6] ?

---

1. *Objet* : ce qu'on voit (sens latin).
2. *Du haut de la porte* : depuis le haut des marches menant à la
porte du palais, où Pylade allait rejoindre Oreste.
3. *Passe* : dépasse ce que j'avais pu imaginer.
4. *Misère* : au sens premier, « malheur ».
5. *À* : de.
6. *Que j'abhore* : que je déteste, que je hais.

Oreste (Richard Berry). Mise en scène de Roger Planchon.
T.N.P. de Lyon, 1989.

Percé de tant de coups, comment t'es-tu sauvé ?
Tiens, tiens, voilà le coup que je t'ai réservé.
Mais que vois-je ? À mes yeux Hermione l'embrasse[1] !
Elle vient l'arracher au coup qui le menace ?
1635 Dieux ! quels affreux regards elle jette sur moi !
Quels démons, quels serpents traîne-t-elle après soi ?
Eh bien ! filles d'enfer[2], vos mains sont-elles prêtes ?
Pour qui sont ces serpents qui sifflent sur vos têtes ?
À qui destinez-vous l'appareil qui vous suit ?
1640 Venez-vous m'enlever dans l'éternelle nuit ?
Venez, à vos fureurs Oreste s'abandonne.

---

1. *Embrasse :* entoure de ses bras.
2. *Filles d'enfer :* les Furies, déesses de la Vengeance, qui persécutaient
les assassins.

Mais non, retirez-vous, laissez faire Hermione :
L'ingrate mieux que vous saura me déchirer ;
Et je lui porte enfin mon cœur à dévorer.

PYLADE

1645 Il perd le sentiment[1]. Amis, le temps nous presse.
Ménageons[2] les moments que ce transport nous laisse.
Sauvons-le. Nos efforts deviendraient impuissants
S'il reprenait ici sa rage avec ses sens.

Racine. (.

---

1. *Il perd le sentiment :* il s'évanouit.
2. *Ménageons :* mettons à profit.

Acte V Scènes 4 et 5

SUITE DU DÉNOUEMENT ET NOUVELLE PÉRIPÉTIE

1. Le monologue d'Oreste (scène 4) : par quels mots se désigne-t-il lui-même ? Comparez ce monologue à tous les précédents.

2. Quelles informations nouvelles apporte Pylade (scène 5) ?

3. Qu'est-ce qui provoque la folie d'Oreste ?

4. Quelle attitude a adoptée Andromaque ? Pourquoi ?

5. Dans une première version de sa pièce, Racine avait proposé un dénouement un peu différent (voir p. 199) : comparez les deux versions ; laquelle vous paraît la mieux adaptée à la tonalité d'ensemble de l'œuvre ? Pourquoi ?

LA POÉSIE DE LA FOLIE

6. À quel moment Oreste perd-il tout à fait la raison ? Qu'est-ce qui avait préparé cet accès de folie ?

7. Relevez les noms de lieux, de couleurs, de sentiments : quelles images sont évoquées là pour le spectateur ?

8. Relevez les effets d'harmonie imitative (voir p. 226) : quel supplément de sens donnent-ils à la pièce ?

9. Pylade sauve Oreste : quel sera ensuite le sort de ce personnage (voir p. 175) ? Quel relief supplémentaire cela donne-t-il à cette scène finale de folie ?

Bilan de l'ensemble de l'œuvre

1. Faites un tableau des apparitions des personnages en scène, selon le modèle suivant :

Personnages	Acte I				Acte II					Etc.
	sc.1	sc.2	sc.3	sc.4	sc.1	sc.2	sc.3	sc.4	sc.5	etc.
Andromaque										
Pyrrhus										
Oreste										
Etc.										

Pour plus de précision, recensez ensuite le nombre de vers dits par chacun des personnages principaux.

Quelles constatations faites-vous ? Lesquels sont les plus présents, les plus actifs ? Lesquels parlent le plus ? Lesquels ne se rencontrent jamais sur scène ? Etc.

2. Une pièce aux multiples péripéties : relevez le nombre de retournements de situation ; comparez au nombre d'actes. Qu'en concluez-vous ? Comment pourrait-on qualifier la structure d'ensemble d'*Andromaque ?*

3. Action et récits : relevez les divers moments où sont faits des récits. Quelle proportion représentent-ils par rapport à l'ensemble ? Qu'évoquent-ils surtout ?

4. L'univers du mythe (voir p. 227) et de la rêverie poétique : en vous aidant de l'index (voir p. 31), de la liste des personnages (voir p. 52), et de la documentation thématique (voir p. 165), définissez les références mythologiques les plus fréquentes dans la pièce. À quel temps et à quel espace renvoient-elles ?

5. Comparez les premiers mots prononcés par Oreste, et les derniers : pouvez-vous y déceler un effet d'ironie tragique (voir p. 20 et 227) ? Y en a-t-il d'autres dans la pièce ? Si oui, lesquels ?

6. Faites un relevé des vers dont la construction ou les sonorités vous ont semblé remarquables : quels thèmes y retrouve-t-on le plus souvent ?

Aphrodite dite *Vénus d'Arles.*
Statue grecque. Musée du Louvre, Paris.

Documentation thématique

Mythologie et tragédie

Les classiques et leurs classiques

La tragédie d'*Andromaque* (comme diverses autres dans l'œuvre de Racine et dans la littérature du XVIIᵉ siècle, et même dans la littérature en général) ne prend tout son sens que si on la situe par rapport à la mythologie grecque. Elle fait sans cesse référence à la guerre de Troie, événement en partie mythique et en partie historique. Mais elle contient aussi de très nombreuses références à la légende des Atrides.

Le monde de la mythologie antique nous est beaucoup moins familier, à nous, gens du XXᵉ siècle finissant, qu'il ne l'était aux gens cultivés du XVIIᵉ siècle. À cette époque, les études se faisaient en latin, et les élèves des collèges (l'enseignement secondaire), en étudiant leurs « humanités », lisaient en particulier *l'Énéide* de Virgile (v. 70-19 av. J.-C.), qui parle des suites de la guerre de Troie ; Racine cite cette œuvre dans ses préfaces (voir p. 44 et 47). Ils lisaient aussi, traduits en latin ou en français, les ouvrages des poètes et des dramaturges grecs. Les plus instruits (ceux qui, comme Racine, avaient appris le grec) les lisaient dans le texte original. Or, dans ces collèges, on n'enseignait pas la littérature française ou les littératures étrangères : toute la culture littéraire était donc « antique ». Les mythes, les dieux, les héros étaient des références aussi usuelles que le sont pour nous les comédies de Molière...

Il ne faudrait pas croire, cependant, qu'ils en avaient

une vision naïve. Dans les mentalités de l'époque classique, la mythologie grecque était perçue de façon complexe. La littérature était alors étudiée comme un moyen d'apprendre la rhétorique (l'art de bien s'exprimer), de connaître l'histoire et d'en tirer des leçons de morale. Les gens cultivés faisaient la distinction entre l'histoire, fondée sur des faits vrais, et la mythologie, qu'ils appelaient : la fable ; c'est dire qu'ils en voyaient bien le caractère fictif, « fabuleux ».

Le sens des symboles

Mais on respectait les auteurs anciens, on les prenait pour modèles, et on considérait les récits mythologiques comme des histoires symboliques, où les forces qui peuvent peser sur le sort des hommes sont représentées. C'est avec cette conscience de la symbolique des mythes que les écrivains classiques discutaient des sources de leurs œuvres, et de leurs personnages, aussi sérieusement que s'il s'était agi de faits strictement historiques.

Et puis, dans le cas de la guerre de Troie, les choses étaient encore plus complexes. Les éléments historiques et les récits mythiques autour de cet événement s'enchevêtrent, à tel point que distinguer les deux est parfois presque impossible. Et, pour corser l'affaire... il existait une tradition légendaire qui faisait descendre les Français, et leurs rois, des survivants de Troie !

La guerre de Troie

Que s'était-il passé exactement ?

Exactement, on ne le sait pas vraiment... Ce dont on est sûr, grâce à des fouilles archéologiques, c'est qu'il a existé sur la côte méridionale des Dardanelles (là où les récits antiques situent la ville de Troie) une puissante ville fortifiée. Vers 1300 av. J.-C., elle fut détruite par un tremblement de terre. Ses habitants la rebâtirent aussitôt ; elle fut alors, malgré tout, moins opulente que dans son état précédent. Au même moment, la Grèce était dominée par un peuple, les Achéens, dont la capitale principale était Mycènes (d'où le nom de civilisation mycénienne), ville aux remparts gigantesques. Sous son impulsion, les Grecs créèrent diverses colonies, entre autres sur la côte d'Asie Mineure (voir p. 34). Ce fut à cette occasion qu'ils eurent sans doute, au cours du XIIIe siècle av. J.-C., une guerre avec Troie, qui leur résistait. C'est de l'époque mycénienne que datent la plupart des grandes légendes archaïques de la Grèce.

Comme on peut le constater, ces données historiques fournissent un cadre qui convient assez bien à l'histoire de la guerre de Troie. D'un côté, le monde grec : il est composé de petits États, rassemblés en une confédération autour du royaume de Mycènes. Or Agamemnon, le roi des rois grecs, était roi d'Argos et de Mycènes. Face aux Grecs : Troie, puissante cité asiatique, comptant des alliés dans son arrière-pays. Un conflit éclate entre les conquérants grecs et l'indépendance troyenne.

Il semble que ce conflit archaïque ait donné lieu, pendant plus de cinq siècles, à des récits transmis par la tradition orale, et plus ou moins amplifiés et enrichis de détails symboliques. Ce n'est qu'ensuite qu'ils furent repris et organisés en poèmes par Homère, dans *l'Iliade* (récit de la guerre de Troie, la ville étant nommée Ilion par les Grecs) et *l'Odyssée* (qui raconte le difficile retour chez lui d'un des héros, Ulysse).

Faisons le bilan : historiquement, une guerre des Grecs contre Troie a sans doute bien eu lieu ; mais la poésie et la légende en ont fait le récit tel que nous pouvons le reconstituer aujourd'hui, tel que l'avaient, déjà, reconstitué les hommes des XVIe et XVIIe siècles.

Les mythes et les épopées homériques

Au IXe siècle av. J.-C., Homère reprit donc l'ensemble de ces récits. Plusieurs problèmes se posent à son sujet. D'abord, on n'est pas sûr que les deux épopées soient du même auteur... Ensuite, certaines légendes disent qu'il était aveugle.

Mais il semble bien que ce qui a permis d'organiser ces récits soit, à cette époque, l'invention de l'écriture selon l'alphabet grec. Jusque-là, en effet, les aèdes (poètes et récitants) se transmettaient leurs œuvres de façon orale seulement. Or *l'Iliade* compte 15 000 vers, *l'Odyssée* 12 000, et leur composition est complexe : les événements ne s'y suivent pas dans l'ordre chronologique, il y a des retours en arrière... On peut se demander si le travail de la mémoire orale aurait pu stabiliser ces textes. Ceux-ci semblent donc bien avoir pris leur forme définitive grâce à l'écriture. Il faut ajouter aussi que, selon toutes les apparences, Homère vivait dans les colonies grecques d'Asie Mineure : il avait donc une connaissance directe ou indirecte des lieux et d'une nature qui ressemblaient à ceux qu'évoque *l'Iliade*.

Or, les aristocrates de ces colonies étaient très intéressés par ces récits qui retraçaient les origines lointaines de l'installation des Grecs en Asie. Ces poèmes mêlent donc les mythes, les légendes et le réalisme.

L'Iliade ne raconte pas toute la guerre de Troie : elle retrace un conflit entre les deux principaux chefs des Grecs. Mais, à partir de cet épisode, diverses allusions permettent de reconstituer l'ensemble de l'aventure. On peut en résumer l'essentiel de la façon qui va suivre...

Pâris et Hélène

Pâris, fils de Priam, le roi de Troie, est un jour sollicité par trois déesses pour qu'il leur décerne un prix disant laquelle est la plus puissante. Il choisit Aphrodite, déesse de l'Amour. Pour le récompenser, elle lui promet de rendre amoureuse de lui la plus belle femme du monde. Celle-ci s'appelle Hélène, et est l'épouse de Ménélas, le roi de Sparte. Pâris se rend donc à Sparte, et Hélène accepte de le suivre.

Ménélas va alors demander l'aide de son frère Agamemnon, roi de Mycènes et d'Argos, le plus puissant des Grecs. Agamemnon rend visite à chacun des rois grecs, et leur demande leur alliance. Tous acceptent. Il obtient même l'alliance d'Achille, roi de Thessalie et d'Épire, guerrier réputé invincible. Mais une fois l'armée rassemblée, la flotte prête à partir, ceux des dieux qui sont favorables aux Troyens font régner un calme plat des vents. Ils exigent qu'Agamemnon offre en sacrifice sa fille Iphigénie pour que les vents reprennent. Agamemnon, dévoré d'ambition, accepte ; et la flotte cingle vers Troie.

Dix ans de siège

Les Grecs rencontrent une sanglante résistance : conduits par Hector, fils de Priam, les Troyens semblent même capables de l'emporter. Alors, les Grecs organisent le blocus de la cité : ils installent leur flotte près de la ville, au bord de la plage, protégée par une palissade. Ainsi, Troie ne peut plus recevoir de ravitaillement par mer. De plus, les Grecs lancent des razzias dans l'arrière-pays, pour empêcher le ravitaillement par voie de terre. De leur côté, les Troyens font des sorties. Au cours de l'une d'elles, Hector force la palissade qui protège les bateaux, en incendie plusieurs, et oblige les autres à fuir.

Le siège dure ainsi neuf ans, sans victoire décisive de l'un ou l'autre camp. Au cours des combats, les dieux se mêlent à la bataille, dit la légende. Aphrodite et Apollon favorisent les Troyens. Héra, épouse de Zeus, dieu des dieux, hésite... Cette affaire aurait donc pu durer indéfiniment.

Puis, tout s'accélère, la dixième année. Quand les Grecs font des razzias, ils se partagent le butin et les prisonnières par tirage au sort (on tue les hommes). Agamemnon reçoit ainsi comme captive une jeune femme appelée Chryséis, fille d'un prêtre troyen du temple d'Apollon. Ce dieu, pour se venger, envoie la peste sur l'armée grecque. Pour le calmer, Agamemnon doit alors rendre la fille. Mais il demande, en compensation, une autre captive, Briséis, qui a été donnée à Achille. La déesse Athéna oblige Achille à céder. Vexé, celui-ci se retire sous sa tente et refuse dorénavant de se battre. C'est cette dispute des chefs qui constitue l'élément principal du récit de *l'Iliade*.

Le dénouement de la guerre

Privés de leur meilleur combattant, les Grecs sont sur le point d'être vaincus par le Troyen Hector. Patrocle, ami d'Achille, supplie alors celui-ci pour que, à défaut de se battre, il lui prête au moins ses armes. Mais Hector tue Patrocle. Achille, pour venger son ami, défie Hector et le tue à son tour.

Après quoi, Pâris tue Achille (voir p. 31). Agamemnon, pour le remplacer, fait appel à son fils Pyrrhus, à qui on promet la main d'Hermione. Les Grecs, sur le conseil d'Ulysse, font semblant de fuir en laissant un immense cheval de bois où sont cachés leurs guerriers les plus audacieux. Les Troyens ouvrent leurs portes, sont pris par surprise, et leur ville est détruite. On tue les hommes et les enfants mâles, on tire au sort la répartition des captives : c'est ainsi qu'Andromaque échoit à Pyrrhus.

Un peu plus tard...

Le retour des Grecs dans leur pays donne lieu à une autre série de tristes aventures. Ulysse met dix ans à regagner son royaume, Ithaque : *l'Odyssée* raconte son périple. Agamemnon, lui, connaît un sort terrible. Pendant qu'il assiégeait Troie, sa femme Clytemnestre, pour se venger du sacrifice de leur fille Iphigénie, a pris pour amant le cousin de son époux, Égisthe, et lui a donné le pouvoir : quand Agamemnon revient, ils l'assassinent en cachette. Pendant ce temps, leur fils Oreste, désespéré qu'on ait donné Hermione à Pyrrhus, est parti lui aussi pour l'Asie. Il y cherche des aventures périlleuses, comme pour se suicider, mais revient vivant. Il apprend le meurtre de son père, mais ne comprend pas tout de suite qui sont les coupables. Plus tard, il les découvrira, et, avec l'aide de sa sœur Électre, il les tuera à son tour (mais, quand Racine imagine qu'Oreste est envoyé en ambassadeur auprès de Pyrrhus, il n'a pas encore accompli ce crime). Hélène, elle, rentre à Sparte auprès de son époux Ménélas...

Voilà quel ensemble de traditions et de récits les gens du XVIIᵉ siècle avaient présents à l'esprit, et à partir de quoi Racine construit sa pièce, avec quelques inventions (voir p. 196).

Nos ancêtres les Troyens

Les épopées homériques furent largement diffusées dans toute l'Antiquité. À Athènes, au moment de la puissance de cette cité, des dramaturges en tirèrent des tragédies (voir p. 230). À Rome, au Iᵉʳ siècle av. J.-C., au moment où l'Empire atteignait sa plus grande puissance, le poète Virgile s'en inspira pour composer à son tour une épopée : *l'Énéide*.

Il imagine que quelques survivants de Troie, sous la conduite du jeune prince Énée, réussirent à s'enfuir : après un long périple en Méditerranée, ils parvinrent dans la péninsule italienne, où ils fondèrent une nouvelle civilisation. Les Romains seraient donc de lointains héritiers des Troyens !... Et, quand Rome conquit à son tour la Grèce, ce n'aurait été au fond qu'une revanche.

Mais il y a encore mieux. Quelques poètes français, dont Ronsard, imaginèrent qu'une petite colonie de ces survivants donna, au bout de bien des siècles, un prince nommé Francus, qui fut à l'origine de la lignée des rois de France. Ainsi, par le jeu des légendes, on pouvait laisser entendre que ces quelques Troyens sauvés à la fin d'*Andromaque* étaient peut-être des ancêtres de la monarchie française !... On voit quel espace une telle pièce ouvrait aux plaisirs de l'imagination pour les gens cultivés de l'époque.

La malédiction des Atrides

Des frères ennemis

Le seul nom d'Oreste ouvrait encore bien d'autres perspectives. Revenons à l'histoire de Mycènes.

Selon les légendes, cette ville aurait été fondée par un demi-dieu : Persée. Pour en construire les remparts, il avait appelé à l'aide des Cyclopes (êtres fabuleux pourvus d'un œil unique au milieu du front). Après Persée, règnent deux de ses fils, puis son petit-fils Eurysthée : c'est ce roi qui impose à Hercule l'épreuve de ses douze « travaux » (exploits), en échange de quoi il lui promet sa fille et son royaume. Mais il ne tient pas parole. Il meurt sans descendance. Se pose donc le problème de sa succession.

Il y a dans sa parenté Pélops (héros qui donna son nom au Péloponnèse). Celui-ci a deux fils : Atrée et Thyeste. Ils se portent tous deux candidats au trône de Mycènes. Le peuple choisit Atrée. Mais celui-ci n'a pas d'enfants. Pour ne pas céder le trône à son frère Thyeste qui, lui, en a, il imagine alors un stratagème horrible.

Le festin de Thyeste

Atrée invite son frère à un festin qui doit marquer la fin de leur rivalité. Mais, en secret, il enlève deux des enfants de Thyeste, les fait tuer, ordonne qu'on prépare leurs corps sous forme de petits morceaux de viande cuisinée, et les sert à son frère. Celui-ci découvre, mais trop tard, l'horrible vérité de ce festin anthropophagique. Thyeste est chassé de la ville, mais lance sa malédiction sur son frère.

Ensuite, Atrée a lui aussi des fils : Agamemnon, et Ménélas, qui sera roi de Sparte. Quand Atrée meurt, Thyeste revient et prend le pouvoir. Agamemnon, que sa mère a mis à l'abri, revient à son tour, une fois adulte, tue Thyeste et s'empare du trône.

Survient alors l'épisode de la guerre de Troie, puis l'assassinat d'Agamemnon par Clytemnestre et Égisthe (fils survivant de Thyeste), enfin la vengeance d'Oreste et d'Électre qui tuent ces derniers. La malédiction que Thyeste a jetée sur les descendants d'Atrée se vérifie. Oreste, torturé par le remords de son crime, devient fou. Son fils Tisaménos lui succède. Mais il n'est alors qu'un adolescent. Aussi les descendants d'Hercule (*Héraklès* en grec), les Héraclides, l'attaquent, le tuent, et prennent le royaume dont le roi Eurysthée avait jadis privé leur ancêtre.

Ainsi s'achève la lignée des Atrides, marquée par la folie meurtrière entre membres de la même famille. Selon les légendes, Hercule est fils de Zeus et d'une mortelle : et ce serait Zeus qui, outré de voir son descendant privé d'un royaume qu'il méritait, aurait provoqué la malédiction des Atrides.

La fatalité

On voit bien là le symbole que les gens de l'époque classique trouvaient dans ces récits mythiques : la fatalité, c'est-à-dire l'effet des crimes des ancêtres qui retombent sur leurs descendants, les dieux étant les forces surnaturelles qui ont poussé les anciens héros à ces crimes. Ainsi, quand Oreste dit qu'il « se livre en aveugle au destin qui [l']entraîne », les spectateurs du XVIIe siècle entendaient l'écho du mythe des Atrides, où Oreste est condamné par avance, sans le savoir et sans pouvoir s'en défendre, au meurtre et à la folie. C'est cette « fatalité » qui, le poussant à se faire désigner comme ambassadeur auprès de Pyrrhus dans le seul but d'enlever Hermione, déclenche toute l'intrigue de la pièce.

L'effet de l'ironie tragique, que les « honnêtes hommes » du XVIIe siècle appréciaient tant, réside en ceci : le héros croit agir selon sa volonté, et il est en fait le jouet d'une malédiction dont il n'a pas conscience.

Cruauté et galanterie

Le monde des mythes est un monde cruel. On s'y attend à des rapports de violence. Et celle-ci est présente : menace sur un enfant, chantage pour un mariage, assassinat, suicide. Pyrrhus, fils du plus violent des guerriers, est lui-même emporté, agressif, menaçant, téméraire.

Mais l'intelligence de Racine a été de faire un alliage entre cette violence des mythes, qui crée une atmosphère de frayeur, où des dangers inéluctables pèsent sur tous les personnages, et le langage amoureux. En utilisant le vocabulaire, le ton et les procédés de la galanterie (voir p. 19 et 37), il adapte les mythes au goût de son temps. Cela crée une ambiguïté qui enrichit le sens de toute la pièce : même quand ils parlent le langage raffiné, élégant, de la passion amoureuse, des sentiments tendres, les personnages expriment la violence qui est attachée à leur sort ; leurs métaphores de tendresse manifestent la fatalité qui les poursuit.

À cela s'ajoute le rôle particulier d'Andromaque : femme, captive, dépourvue de toutes forces, elle est déchirée entre sa fidélité à Hector et le désir de sauver son enfant. Elle est pathétique. Or les dames de la bonne société qui fréquentaient les théâtres dans les années 1660, aimaient que le spectacle leur fasse venir les larmes aux yeux.

La palette de l'esthétique racinienne est donc diverse : violence des symboles mythiques évoqués, angoisse créée par la fatalité, élégance du langage, sensation forte provoquée par le dénouement sanglant, intelligence de l'ironie tragique, sensibilité touchée par l'apitoiement.

Voici pourtant une pièce qui finit bien ! Car, si les héros torturés et violents (Pyrrhus, Hermione, Oreste) sont tués, se suicident, deviennent fous, Andromaque et Astyanax survivent : Troie semble renaître de ses cendres. Dans ce sinistre tableau final, subsiste ainsi une touche d'espoir...

Permanence et évolution d'un mythe

La guerre de Troie, le retour des héros et le mythe des Atrides ont fourni la matière à des quantités de pièces, principalement des tragédies, depuis l'Antiquité. Toute cette matière sera encore source de création littéraire : la culture vit ainsi, en réorganisant, revivifiant de vieux mythes. En effet, ceux-ci donnent à chaque société, à chaque époque, des images et des symboles pour exprimer sa façon de percevoir le monde, les problèmes qu'elle y rencontre, les angoisses et les espoirs qu'elle nourrit en lui.

La dispute entre Agamemnon et Achille

Cette querelle, qui fait le début de *l'Iliade,* est à rapprocher de la rivalité qui oppose, dans *Andromaque,* Oreste (fils d'Agamemnon) et Pyrrhus (fils d'Achille). On voit aussi dans ce texte comment l'épopée fait directement intervenir les dieux (Héra est l'épouse de Zeus ; Pallas Athéna, une fille de Zeus).

Il marque fortement l'importance des ancêtres dans les mentalités antiques : Achille, fils de Pélée, est appelé « Péléide », Agamemnon, « Atride », etc. (Achéens et Danaens sont des noms archaïques des Grecs ; Achaïe, de la Grèce).

ACHILLE. Ah ! vraiment, cœur bardé d'impudence, âpre au gain, comment un Achéen pourrait-il t'obéir volontiers, que ce soit pour marcher ou combattre ? Car enfin, si je suis venu lutter ici, moi du moins, ce n'est pas par haine des Troyens. Que m'ont-ils fait, à moi ? Jamais ils n'ont ravi mes bœufs ni mes chevaux ; jamais on ne les vit saccager les moissons dans [mon] pays fertile et riche. La distance qui nous sépare est bien trop grande : entre nous, tous ces monts ombreux, la mer sonore ! C'est toi que j'ai suivi, toi, le plus impudent des hommes, pour te plaire, afin que Ménélas et toi, face de chien, vous puissiez des Troyens tirer votre vengeance ! Mais combien tu t'en moques ! Tu viens me menacer de confisquer le lot que m'ont attribué les fils de l'Achaïe pour prix de tant d'efforts. Pourtant ma part jamais n'est égale à la tienne, lorsque les Danaens mettent à sac un bourg opulent des Troyens. Du combat bondissant presque tout le fardeau retombe sur mes bras, mais, quand vient le partage, alors c'est toi qui prends le plus splendide lot ; il est petit, celui que vers mes nefs j'emporte, après avoir assez peiné dans la bataille, et j'y tiens d'autant plus ! Mais cette fois, je vais repartir [...], car il vaut beaucoup mieux que je rentre chez moi sur mes nefs recourbées ; il n'est pas de mon goût de demeurer ici, privé de tout honneur, lorsque pour toi j'amasse abondance et richesse !

Le chef de peuple Agamemnon réplique alors :

AGAMEMNON. Fuis, si le cœur t'en dit ! Ce n'est certes pas moi qui vais te supplier de rester pour me plaire. D'autres, assez nombreux, soutiendront mon honneur, d'abord le prudent Zeus. Toi, parmi tous les rois divins, je te déteste. Ce qui te plaît le mieux, c'est toujours la querelle et la lutte et la guerre. Immense est ta vigueur,

mais tu la tiens d'un dieu. Remmène donc chez toi tes
nefs et tes guerriers, commande aux Myrmidons ! Moi,
je me moque bien de toi, de ta colère ! Écoute ma
menace. Si Phoebos Apollon m'enlève Chryséis (et je
vais l'envoyer avec mes compagnons sur un navire à
moi), moi-même alors j'irai jusqu'à ton campement,
pour te prendre ta part, la belle Briséis. Ainsi tu
comprendras combien je te domine, et les autres
craindront de me traiter dans leurs propos comme un
égal et de me tenir tête.

Il dit. Le Péléide à ces mots s'assombrit. Son cœur
reste indécis en sa mâle poitrine : va-t-il saisir le glaive
aigu qu'il porte au flanc et, chassant les Argiens, tuer
le fils d'Atrée ? ou bien se contenir et calmer sa
colère ? Tandis qu'en son esprit il roule ces pensées et
déjà du fourreau tire sa grande lame, Athéna vient à
lui des profondeurs du ciel. C'est Héra qui l'envoie, la
déesse aux bras blancs, qui veille avec amour sur l'un
et l'autre chef. Debout derrière Achille, elle saisit les
blonds cheveux du Péléide ; visible pour lui seul, elle
échappe aux regards de tous les autres hommes. Achille,
stupéfait, se retourne ; aussitôt il reconnaît Pallas, la
divine Athéna. Ses yeux brillent, terribles. Regardant
la déesse, il dit ces mots ailés :

ACHILLE. Fille de Zeus, [...] que fais-tu ? Viens-tu
pour   contempler   l'insolence   du   fils   d'Atrée,
Agamemnon ? Mais je vais t'annoncer ce qui
s'accomplira : sa vanité bientôt lui coûtera la vie.

La déesse aux yeux pers, Athéna, lui répond :

ATHÉNA. Du haut du ciel j'accours pour te persuader
de calmer ta fureur. C'est Héra qui m'envoie, la déesse

Achille. Amphore attique (détail) du Vᵉ siècle av. J.-C.
Musée étrusque du Vatican, Rome.

aux bras blancs, qui veille avec amour sur toi comme
sur lui. Finis cette querelle, allons ! et que ton bras ne
tire pas l'épée. Ne te sers que de mots : abreuve-le
d'injures.

Homère, *l'Iliade* (chant I), IXe siècle av. J.-C.,
traduction de R. Flacelière, Bibliothèque de la Pléiade,
Gallimard, 1955.

L'attaque d'Hector contre la flotte grecque

Un exploit d'Hector, qui faillit donner la victoire aux
Troyens... Cette fois, c'est le dieu du Soleil, Phoebos
(Phébus) Apollon, qui intervient : il soutient les Troyens.

Les séries de noms propres qui se succèdent au début
du texte montrent, elles aussi, l'importance des lignages
(listes des ancêtres) ; elles produisent, d'autre part, une
impression de foule : les héros sont nombreux dans
l'un et l'autre camp.

Lors, la mêlée en maint endroit s'éparpillant, chaque
homme tue un homme. Hector maîtrise Arcésilas et
Stichios : celui-là, chef des Béotiens bardés de bronze ;
l'autre, fidèle ami du brave Ménesthée.

Énée abat, de son côté, Jase et Médon : Médon est
un bâtard du divin Oïlée et le frère d'Ajax ; il résidait
à Phylacé, loin de chez lui, car il avait commis un
meurtre sur un homme, sur un frère de sa marâtre
Ériopis, la femme d'Oïlée, — Jase est un chef des
Athéniens ; on le dit fils du Boucolide Sphèle.

Polydamas abat, pour sa part, Mécistée, alors que
Politès tue Échios au premier rang de la mêlée. Le
divin Agénor égorge Clonios. Pâris voit Déiochos
s'enfuir entre les lignes : il l'atteint dans le dos, au-
dessous de l'épaule, et lui pousse à travers le corps
l'arme de bronze.

Tandis que les Troyens dépouillent les cadavres, les Argiens vont buter contre la palissade et le creux du fossé. Lors, fuyant en tous sens, ils se voient obligés de repasser le mur. Hector crie aux Troyens, qu'il appelle à voix forte :

HECTOR.   Vers les nefs, en avant ! Hâtez-vous, et laissez les dépouilles sanglantes. Celui que je verrai rester loin des vaisseaux recevra de mes mains, sur place, le trépas, et, quand il sera mort, parentes et parents ne lui donneront pas les honneurs du bûcher : devant notre cité les chiens le traîneront.

Hector, après ces mots, élève son fouet au-dessus de l'épaule et fait bondir son char, puis, à travers les rangs, va presser les Troyens. Tous, avec lui, les uns les autres s'appelant, au milieu d'un fracas immense, de leurs chars poussent les attelages. Et devant eux, Phoebos Apollon, sans effort, abat avec le pied le rebord du talus ; il le bascule en plein dans le fossé profond, formant une chaussée, un large et long chemin, qui s'étend aussi loin que porte un javelot lancé par un héros pour mesurer sa force. Par bataillons entiers les Troyens s'y répandent. Apollon devant eux brandit l'égide sainte [le bouclier invisible de Zeus]. Puis, sans le moindre effort, il renverse d'un coup le mur des Achéens. Comme, au bord de la mer, sur la grève, un enfant, après avoir, par jeu, fait des châteaux de sable, du pied ou de la main s'amuse à les détruire.

L'Iliade (chant XV), édition déjà citée.

La victoire d'Achille sur Hector

Le plus grand duel épique dans l'histoire de la guerre de Troie : les deux héros s'affrontent au pied des remparts, devant les deux armées, en combat singulier.

Hector a d'abord éprouvé de la frayeur en se trouvant face à face avec Achille ; puis il l'affronte.

Marchant l'un contre l'autre, ils s'abordent bientôt. Alors le grand Hector au casque étincelant prend la parole et dit :

HECTOR. Je ne veux plus te fuir, c'est fini, Péléide. De la grande cité de Priam, en courant, trois fois j'ai fait le tour, mais voici que mon cœur me pousse à t'affronter. Je vais ou te tuer ou moi-même périr. Mais allons ! invoquons les dieux comme témoins : ils seront les meilleurs garants de nos accords. Si c'est à moi que Zeus destine la victoire et si tu perds la vie, on ne me verra pas infliger à ton corps de monstrueux outrages : je le dépouillerai de tes illustres armes, Achille, et le rendrai sans tarder aux Argiens. Agis donc, toi, de même.

Achille aux pieds légers lui jette un regard sombre et lui dit en réponse :

ACHILLE. Hector, cesse, maudit, de me parler d'accords. Entre hommes et lions nulle entente loyale, entre brebis et loups nuls sentiments communs ; ils trament sans répit la mort les uns des autres ; de même entre nous deux il n'est pas d'amitié ni de serment possible, avant que l'un de nous ne tombe, et, de son sang, ne rassasie Arès [dieu de la Guerre et de la Lutte], l'indomptable guerrier. C'est le moment de rappeler tout ton courage et de te montrer ferme et hardi combattant. Pour toi, plus de refuge : sous ma lance Athéna te va bientôt courber, et tu vas d'un seul coup payer tous les chagrins que tu m'as infligés en tuant mes amis de ta pique fougueuse.

Il dit et, brandissant sa longue javeline, il la lance en avant. Mais le brillant Hector l'aperçoit et l'évite : il voit le coup, se baisse, et la pique d'airain vole au-dessus de lui, le dépasse et, plus loin, se fiche dans la terre. Lors Pallas Athéna la saisit aussitôt et va la replacer entre les mains d'Achille, mais à l'insu d'Hector. Ce pasteur d'hommes dit au parfait Péléide :

HECTOR. Tu m'as manqué : Zeus donc, Achille égal aux dieux, ne t'a point révélé l'heure de mon trépas. Tu le disais pourtant ! Tu n'es qu'un beau parleur, un artiste en mensonges, et tu voulais me faire oublier ma vaillance. Mais je ne fuirai point, et ce n'est pas mon dos que percera ta pique : je marche droit sur toi, tu n'as qu'à la pousser en plein dans ma poitrine, si les dieux le permettent. Mais d'abord, à ton tour, essaye d'éviter mon javelot de bronze. Puisses-tu l'emporter dans ta chair tout entier ! Ta mort rendrait la guerre aux Troyens moins pesante : c'est toi leur grand fléau.

Il dit et, brandissant sa longue javeline, il la lance en avant. Il ne le manque pas, il frappe en son milieu le bouclier d'Achille. Mais aussitôt l'écu rejette au loin la lance. Hector voit, irrité, que sa main vainement a fait partir le coup. Il s'arrête, déçu, n'ayant plus pour lutter d'autre pique de frêne. Il appelle d'un cri le preux à l'écu blanc, Déïphobe : il demande une solide lance, mais l'autre n'est plus là. Dans son âme à l'instant Hector comprend et dit :

HECTOR. Malheur ! les dieux, je vois, m'appellent à la mort. Je croyais bien avoir près de moi Déïphobe. Mais il est dans nos murs, Athéna m'a joué. À mes côtés je n'ai que le cruel trépas. Contre lui, nul refuge. Tel est, à mon égard, depuis longtemps sans doute, le bon plaisir de Zeus et de son fils l'Archer, eux qui me protégeaient si volontiers naguère ! Me voici maintenant prisonnier du Destin. Non, je ne mourrai pas sans lutte ni sans gloire, ni sans un grand exploit dont le récit parvienne à la postérité.

Il dit, tire le glaive acéré, grand et fort, à son flanc suspendu, puis, s'étant ramassé sur lui-même, il s'élance. Tel l'aigle de haut vol qui fonce vers la plaine à travers une sombre épaisseur de nuages et qui veut s'emparer d'un agneau délicat ou d'un timide lièvre : ainsi bondit Hector en levant son épée.

Achille aussi se rue, et son âme s'emplit d'une sauvage ardeur. Son bouclier splendide aux multiples décors lui couvre la poitrine, tandis que sur sa tête oscille son beau casque à quadruples bossettes, où l'on voit voltiger les crins d'or éclatants qu'Héphaestos [dieu du Feu] a fait pendre, en masse, du cimier.

Comme, au cœur de la nuit, s'avance la clarté de l'étoile du soir, — c'est dans le firmament la plus belle de toutes : ainsi scintille alors l'épieu pointu qu'Achille en sa droite brandit. Plein de haine en son cœur pour le divin Hector, il cherche du regard sur son beau corps le point où le plus aisément pénétrera le coup. Le preux est tout entier couvert des belles armes, de ces armes d'airain dont il a dépouillé, dès qu'il l'eut fait périr, le robuste Patrocle ; il n'est qu'un seul endroit où la chair est visible, juste à la clavicule où la gorge et le cou s'attachent aux épaules, et c'est par là que vient la mort la plus rapide. C'est là précisément que le divin Achille contre Hector plein d'ardeur pousse sa javeline. La pointe alors tout droit perce la tendre gorge. Pourtant le javelot de bronze lourd n'a pas traversé la trachée : Hector pourra répondre et dire quelques mots. Dans la poussière il tombe, et le divin Achille exulte, triomphant :

ACHILLE. Hector, pensais-tu donc, en dépouillant Patrocle, qu'il ne t'en cuirait pas ? Tu n'avais nul souci de moi, dans ta folie, parce que j'étais loin ! Mais un vengeur était resté près des nefs creuses, à l'écart, en

Lutte entre Achille et Hector. Vase attique du Vᵉ siècle av. J.-C.
Musée étrusque du Vatican, Rome.

arrière, et c'était moi, qui viens de rompre tes genoux.
Les oiseaux et les chiens vont outrager ton corps et le
mettre en lambeaux, tandis que les Argiens à Patrocle
rendront les funèbres honneurs.

D'une voix défaillante Hector, le preux au casque
étincelant, répond :

HECTOR.   Ah ! par ta vie et tes genoux et tes parents,
j'implore ta pitié. Non, ne me laisse pas dévorer par
les chiens près des nefs achéennes. Accepte tout le
bronze et l'or et les présents que t'offriront mon père
et mon auguste mère : laisse-les ramener à la maison
mon corps, que livreront au feu les Troyens et leurs
femmes.

Achille aux pieds légers lui jette un regard sombre
et lui dit en réponse :

ACHILLE. Chien ! cesse d'invoquer mes genoux, mes parents. Tu m'as fait tant de mal ! Aussi vrai que mon cœur, dans sa rage, me pousse à manger par lambeaux, moi-même, ta chair crue, personne de ton front n'écartera les chiens. L'on pourrait m'apporter ici et me peser une rançon dix fois ou vingt fois supérieure et m'en promettre encore, — Priam le Dardanide aurait beau m'envoyer un poids d'or égalant celui de ton cadavre : non, même ainsi, ta mère auguste ne pourra t'étendre sur un lit afin de te pleurer, toi qu'elle a mis au monde. Les chiens et les oiseaux dévoreront ton corps et n'en laisseront rien.

Au moment d'expirer, Hector, le preux au casque étincelant, répond :

HECTOR. Ah ! je te connais bien, il suffit de te voir. Certes, je ne pouvais espérer te convaincre, car c'est un cœur de fer qui loge en ta poitrine. Mais prends garde qu'un jour je n'attire sur toi la colère des dieux : à ce moment Pâris et Phoebos Apollon, si vaillant que tu sois, te donneront la mort devant la porte Scée.

Il dit, et c'est la fin : le trépas l'enveloppe. Son âme, abandonnant ses membres, prend son vol et descend chez Hadès [dieu des Enfers], déplorant son destin, quittant jeunesse et force. Ce preux est déjà mort, quand Achille lui dit :

ACHILLE. Meurs ! Quant à mon trépas, moi, je le recevrai lorsque Zeus et les dieux voudront que je périsse.

Il dit, et du cadavre il arrache sa pique ; il la pose à l'écart, puis dépouille le mort de ses armes sanglantes.

Les fils des Achéens de toute part accourent. Ils s'approchent d'Hector. Ils admirent sa taille et sa beauté splendide. Et nul d'entre eux n'est là qui ne lui porte un coup. Plusieurs vers leurs voisins se tournent et leur disent :

LES ACHÉENS.   Ah ! comme il est plus doux à palper, cet Hector, que lorsqu'il embrasait d'un feu brûlant nos nefs !

C'est en parlant ainsi qu'ils viennent le frapper.

L'Iliade (chant XXII), édition déjà citée.

Les hommes face à la volonté des dieux

Le thème de la guerre de Troie fascinait décidément Racine : il l'utilisa à nouveau en 1674 dans *Iphigénie,* qui fit un triomphe. Cette fois, il ne s'agit pas des suites de la guerre, mais de son début, au moment où la flotte se trouve immobilisée. On retrouve le conflit entre Agamemnon et Achille, et le thème de la victime innocente (l'enfant Astyanax dans *Andromaque,* ici la jeune fille Iphigénie) que les adultes veulent sacrifier à des fins politiques et passionnelles. Racine a imaginé qu'Iphigénie (fille d'Agamemnon) avait été promise en mariage à Achille, pour prix de son alliance.

Agamemnon parle ici avec son confident Arcas.

AGAMEMNON

Tu vois mon trouble ; apprends ce qui le cause,
Et juge s'il est temps, ami, que je repose.
Tu te souviens du jour qu'en Aulide assemblés
Nos vaisseaux par les vents semblaient être appelés.
Nous partions ; et déjà par mille cris de joie
Nous menacions de loin les rivages de Troie.
Un prodige étonnant fit taire ce transport :
Le vent qui nous flattait nous laissa dans le port.
Il fallut s'arrêter, et la rame inutile

Fatigua vainement une mer immobile.
Ce miracle inouï me fit tourner les yeux
Vers la divinité qu'on adore en ces lieux.
Suivi de Ménélas, de Nestor et d'Ulysse
J'offris sur ses autels un secret sacrifice.
Quelle fut sa réponse ! et quel devins-je, Arcas,
Quand j'entendis ces mots prononcés par Calchas :
« Vous armez contre Troie une puissance vaine,
Si dans un sacrifice auguste et solennel
   Une fille du sang d'Hélène
De Diane en ces lieux n'ensanglante l'autel.
Pour obtenir les vents que le ciel vous dénie,
   Sacrifiez Iphigénie. »

ARCAS

Votre fille !

AGAMEMNON
   Surpris, comme tu peux penser,
Je sentis dans mon corps tout mon sang se glacer.
Je demeurai sans voix, et n'en repris l'usage
Que par mille sanglots qui se firent passage.
Je condamnai les Dieux, et, sans plus rien ouïr,
Fis vœu sur leurs autels de leur désobéir.
Que n'en croyais-je alors ma tendresse alarmée ?
Je voulais sur-le-champ congédier l'armée.
Ulysse, en apparence approuvant mes discours,
De ce premier torrent laissa passer le cours,
Mais bientôt, rappelant sa cruelle industrie,
Il me représenta l'honneur et la patrie,
Tout ce peuple, ces rois à mes ordres soumis,
Et l'empire d'Asie à la Grèce promis :
De quel front immolant tout l'État à ma fille,
Roi sans gloire, j'irais vieillir dans ma famille.
Moi-même, je l'avoue avec quelque pudeur,
Charmé de mon pouvoir et plein de ma grandeur,

Ces noms de roi des rois et de chef de la Grèce
Chatouillaient de mon cœur l'orgueilleuse faiblesse.
Pour comble de malheur, les Dieux toutes les nuits,
Dès qu'un léger sommeil suspendait mes ennuis,
Vengeant de leurs autels le sanglant privilège,
Me venaient reprocher ma pitié sacrilège !
Et présentant la foudre à mon esprit confus,
Le bras déjà levé, menaçaient mes refus.
Je me rendis, Arcas ; et vaincu par Ulysse,
De ma fille, en pleurant, j'ordonnai le supplice.
Mais des bras d'une mère il fallait l'arracher.
Quel funeste artifice il me fallut chercher !
D'Achille, qui l'aimait, j'empruntai le langage.
J'écrivis en Argos, pour hâter ce voyage,
Que ce guerrier, pressé de partir avec nous,
Voulait revoir ma fille, et partir son époux.

ARCAS

Et ne craignez-vous point l'impatient Achille ?
Avez-vous prétendu que, muet et tranquille,
Ce héros, qu'armera l'amour et la raison,
Vous laisse pour ce meurtre abuser de son nom ?
Verra-t-il à ses yeux son amante immolée ?

Racine, *Iphigénie* (acte I, scène 1), 1674.

Lisez la pièce en entier, vous verrez que Racine a
inventé une solution inattendue pour éviter cet horrible
infanticide !

Oreste, héros de la liberté

Le mythe des Atrides, et le personnage d'Oreste en
particulier, a intéressé plusieurs auteurs du XXe siècle.
Jean-Paul Sartre en a fait la matière de sa tragédie *les*

Mouches (1943). Il y montre Oreste revenant à Argos après quinze ans d'absence, pour venger le meurtre de son père, et donc pour tuer sa propre mère.

On retrouve dans cette œuvre des éléments de la mythologie grecque : les Érinyes sont les « filles d'enfer » dont parle l'Oreste d'*Andromaque* (vers 1637), des déesses du Remords, qui persécutaient les assassins. Mais il est important aussi de voir comment les mythes évoluent au fil du temps. Cela se présente ici sous deux aspects.

D'une part, Sartre mêle des mythes différents, et il en invente. Oreste évoque, dans cet extrait, la légende du « joueur de flûte », qui libéra sa ville des rats qui y avaient apporté la peste ; or cette légende s'est surtout développée dans les cultures de tradition germanique ; et Jean-Paul Sartre pour sa part a imaginé qu'Argos était envahie par des nuées de mouches (d'où le titre de sa pièce), qui représentent les crimes impunis.

D'autre part, Sartre change du tout au tout le sens du mythe : Oreste a hésité avant d'accomplir la vengeance, puis il a choisi d'agir, parce que la justice lui paraît être la base de toute liberté. Le peuple d'Argos ne lui en est pas reconnaissant, au contraire. Le libérateur est sacrifié, n'est pas reconnu par ceux qu'il a sauvés : le mythe reprend ici encore toute sa dimension profondément pessimiste. Mais Oreste assume son geste, sans sombrer dans la folie...

Créée en 1943, alors que la France était occupée, cette pièce prenait le sens d'un appel au courage, à la liberté, et donc à la résistance.

Il s'agit ici de la scène finale de la tragédie.

CRIS DANS LA FOULE. À mort ! À mort ! Lapidez-le ! Déchirez-le ! À mort !

ORESTE, *sans les entendre.* Le soleil !

LA FOULE. Sacrilège ! Assassin ! Boucher ! On t'écartèlera. On versera du plomb fondu dans tes blessures.

UNE FEMME. Je t'arracherai les yeux.

UN HOMME. Je te mangerai le foie.

ORESTE *s'est dressé.* Vous voilà donc, mes sujets très fidèles ! Je suis Oreste, votre roi, le fils d'Agamemnon, et ce jour est le jour de mon couronnement.
La foule gronde, décontenancée.
Vous ne criez plus ? *(La foule se tait.)* Je sais : je vous fais peur. Il y a quinze ans, jour pour jour, un autre meurtrier s'est dressé devant vous, il avait des gants rouges jusqu'au coude, des gants de sang, et vous n'avez pas eu peur de lui car vous avez lu dans ses yeux qu'il était des vôtres et qu'il n'avait pas le courage de ses actes. Un crime que son auteur ne peut supporter, ce n'est plus le crime de personne, n'est-ce pas ? C'est presque un accident. Vous avez accueilli le criminel comme votre roi, et le vieux crime s'est mis à rôder entre les murs de la ville, en gémissant doucement, comme un chien qui a perdu son maître. Vous me regardez, gens d'Argos, vous avez compris que mon crime est bien à moi ; je le revendique à la face du soleil, il est ma raison de vivre et mon orgueil, vous ne pouvez ni me châtier ni me plaindre, et c'est pourquoi je vous fais peur. Et pourtant, ô mes hommes, je vous aime, et c'est pour vous que j'ai tué. Pour vous. J'étais venu réclamer mon royaume et vous m'avez repoussé parce que je n'étais pas des vôtres. À présent, je suis des vôtres, ô mes sujets, nous sommes liés par le sang, et je mérite d'être votre roi. Vos fautes et vos remords,

vos angoisses nocturnes, le crime d'Égisthe, tout est à moi, je prends tout sur moi. Ne craignez plus vos morts, ce sont mes morts. Et voyez : vos mouches fidèles vous ont quittés pour moi. Mais n'ayez crainte, gens d'Argos : je ne m'assiérai pas, tout sanglant, sur le trône de ma victime : un Dieu me l'a offert et j'ai dit non. Je veux être un roi sans terre et sans sujets. Adieu, mes hommes, tentez de vivre : tout est neuf ici, tout est à commencer. Pour moi aussi la vie commence. Une étrange vie. Écoutez encore ceci : un été, Scyros fut infestée par les rats. C'était une horrible lèpre, ils rongeaient tout ; les habitants de la ville crurent en mourir. Mais, un jour, vint un joueur de flûte. Il se dressa au cœur de la ville — comme ceci. *(Il se met debout.)* Il se mit à jouer de la flûte et tous les rats vinrent se presser autour de lui. Puis il se mit en marche à longues enjambées, comme ceci *(il descend du piédestal),* en criant aux gens de Scyros : « Écartez-vous ! » *(La foule s'écarte.)* Et tous les rats dressèrent la tête en hésitant — comme font les mouches. Regardez ! Regardez les mouches ! Et puis tout d'un coup ils se précipitèrent sur ses traces. Et le joueur de flûte avec ses rats disparut pour toujours. Comme ceci. *Il sort ; les Érinyes se jettent en hurlant derrière lui.*

RIDEAU

Sartre, *les Mouches* (acte III, scène 6), Gallimard, 1943.

Annexes

Les sources :
une mosaïque
et de l'invention

Au XVIIᵉ siècle, les « grands » genres exigeaient de leurs auteurs l'utilisation de modèles puisés dans les littératures latine et grecque. C'est ce qu'on appelle le principe de l'imitation.

Mais imiter ne signifie pas retranscrire ni même transposer de façon très étroitement soumise au modèle. Il s'agit plutôt de s'en inspirer et, à partir de là, d'apporter une part d'invention. C'est en ce sens qu'il faut comprendre l'idée de sources. De fait, Racine combine plusieurs sources, et son imagination va de l'avant à partir de ces données diverses.

Les modèles

Les sources sont extrêmement nombreuses. Racine en déclare une dans ses préfaces, et la donne comme principale : il s'agit d'un passage du chant III de *l'Énéide* de Virgile (voir p. 44). Cette source fournit l'idée du lieu où se déroule l'action, Buthrot, un port important d'Épire (voir p. 34). Elle fournit aussi l'idée de la fidélité d'Andromaque au souvenir d'Hector, et, enfin, celle de l'assassinat de Pyrrhus par Oreste, jaloux. Mais le texte de Virgile contient aussi plusieurs différences importantes par rapport à l'intrigue de Racine. Selon Virgile, Pyrrhus aurait d'abord aimé Andromaque, sa captive, et en aurait eu un fils, Molossos. Puis il l'aurait délaissée pour épouser Hermione ; d'où la jalousie d'Oreste, et l'assassinat qu'il commet. Dans cette version, Astyanax est mort au moment de la chute de Troie.

Une autre source réside dans *l'Iliade* d'Homère. Le personnage d'Andromaque est présenté, dans cette épopée, comme très attaché à Hector. Racine emprunte beaucoup à Homère, dans son troisième acte, quand il évoque les adieux d'Andromaque à son époux partant affronter Achille (*l'Iliade,* chant VI).

D'autres emprunts sont faits à des tragédies du dramaturge grec Euripide (Ve siècle av. J.-C.). Dans *les Troyennes,* Euripide montrait le désespoir d'Andromaque à qui les Grecs, lors de la prise de Troie, arrachaient son fils Astyanax pour le tuer en le jetant du haut des remparts. Cette pièce avait été transposée en latin par Sénèque (v. 2 av. J.-C. - 65 apr. J.-C.), sous le même titre. Racine emprunte à l'un et à l'autre quelques formules, quelques expressions, quelques images de détail.

Euripide avait aussi écrit une *Andromaque*. Une idée centrale est identique : Andromaque tremble pour le sort de son fils. Mais, dans la pièce d'Euripide, ce fils est Molossos, qu'elle a eu de Pyrrhus, et qu'Hermione veut faire mourir. Racine a donc gardé l'idée de l'amour maternel, mais en a modifié l'objet.

Son traitement des sources ressemble un peu à une mosaïque. Quand il déclare comme modèle principal *l'Énéide,* il met en avant un texte que chacun, parmi les spectateurs cultivés, avait pu lire en latin. Mais sa culture grecque lui permet d'emprunter aussi à Homère et à Euripide.

Racine conserve une réelle liberté d'invention : en imaginant qu'Astyanax a été sauvé du massacre de Troie, il augmente le pathétique de sa pièce. Il en enrichit aussi la symbolique : sauver Astyanax, c'est sauver la lignée royale de Troie, et perpétuer le mythe.

D'autres sources viennent s'ajouter aux modèles antiques : il s'agit cette fois d'œuvres et de modèles modernes. Racine s'est inspiré de la tradition pastorale des amours non partagées (voir p. 19). À cet égard, il est aussi en quelque sorte sa propre source, puisque sa pièce précédente, *Alexandre le Grand,* se fondait sur une intrigue où il y avait ainsi une « chaîne » d'amours à la manière des pastorales. C'est là la part galante de la structure, qui se traduit par les expressions « galantes » du langage amoureux.

Mais Racine avait pu trouver aussi l'idée d'une intrigue où un roi menace sa captive, dont il est amoureux, dans deux pièces écrites par des auteurs contemporains : *Hercule mourant* de Rotrou, et *Pertharite* de Corneille. Dans les deux cas, le dénouement est différent de celui d'*Andromaque*. Mais la situation de base présente des similitudes.

L'innovation

Il ne faut pas voir uniquement la part de l'imitation dans ce rapport aux sources : il faut mesurer aussi celle de l'innovation. Racine invente pour adapter mythes et légendes aux goûts de ses contemporains. Certains critiques de l'époque le lui ont reproché (voir sa première préface, p. 44). Mais c'est au contraire l'une des forces de sa pièce que de montrer comment, derrière les rituels officiels (réception d'un ambassadeur, mariage), symboliques (attitudes de supplication), et surtout derrière les rituels verbaux (le langage de la mondanité et de la galanterie), se cachent des rapports de force extrêmement tendus.

Toute la vie de la cour, et de la « bonne société » en général, était au XVIIe siècle faite de gestes très ritualisés. Racine faisait ainsi sentir la fragilité, ou le mensonge, de ces façons de faire. Cela constitue une autre « source », sociale celle-ci, de son œuvre. Or, aujourd'hui encore, toute vie en société est tissée de rituels, petits et grands : une telle tragédie incite toujours à découvrir quels rapports de force ils dissimulent ou essayent de réglementer.

Une variante importante

Le texte reproduit dans cette édition est celui que Racine a publié en 1697, dans la dernière édition de ses *Œuvres complètes* faite de son vivant. Mais entre 1667, date de création de la pièce, et 1697 *Andromaque* n'a pas cessé d'être jouée et rééditée. Racine y a apporté des petites retouches, des variantes. La plupart sont minimes ; aussi ne sont-elles pas reproduites ici. Mais l'une d'entre elles est importante, par sa longueur, et par les différences qu'elle crée pour les jeux de scène, la psychologie donnée aux personnages et l'impression produite sur le spectateur : impression décisive, car il s'agit du dénouement !

Dans l'édition de 1668, la scène 3 de l'acte V se présentait ainsi :

SCÈNE 3. ORESTE, ANDROMAQUE, HERMIONE, CÉPHISE,
SOLDATS D'ORESTE.

ORESTE

Madame, c'en est fait, partons en diligence,
Venez dans mes vaisseaux goûter votre vengeance.
Voyez cette captive : elle peut mieux que moi
Vous apprendre qu'Oreste a dégagé sa foi.

HERMIONE

Ô Dieux ! c'est Andromaque !

ANDROMAQUE

Oui, c'est cette princesse
Deux fois veuve, et deux fois l'esclave de la Grèce,
Mais qui jusque dans Sparte ira vous braver tous,
Puisqu'elle voit son fils à couvert de vos coups.
Du crime de Pyrrhus complice manifeste,
J'attends son châtiment. Car je vois bien qu'Oreste,
Engagé par votre ordre à cet assassinat,

199

Vient de ce triste exploit vous céder tout l'éclat.
Je ne m'attendais pas que le ciel en colère
Pût, sans perdre mon fils, accroître ma misère,
Et gardât à mes yeux quelque spectacle encor
Qui fît couler mes pleurs pour un autre qu'Hector.
Vous avez trouvé seule une sanglante voie
De suspendre en mon cœur le souvenir de Troie.
Plus barbare aujourd'hui qu'Achille et que son fils,
Vous me faites pleurer mes plus grands ennemis ;
Et, ce que n'avaient pu promesse ni menace,
Pyrrhus de mon Hector semble avoir pris la place.
Je n'ai que trop, Madame, éprouvé son courroux :
J'aurais plus de sujet de m'en plaindre que vous.
Pour dernière rigueur ton amitié cruelle,
Pyrrhus, à mon époux me rendait infidèle.
Je t'en allais punir. Mais le ciel m'est témoin
Que je ne poussais pas ma vengeance si loin ;
Et sans verser ton sang ni causer tant d'alarmes,
Il ne t'en eût coûté peut-être que des larmes.

HERMIONE

Quoi ? Pyrrhus est donc mort ?

ORESTE

> Oui, nos Grecs irrités...

L'édition de 1668 portait entre le vers 1520 et le vers 1524 :

Le Troyen est sauvé. Mais partons, le temps presse ;
L'Épire tôt ou tard satisfera la Grèce.
Cependant j'ai voulu qu'Andromaque aujourd'hui
Honorât mon triomphe et répondît de lui.
Du peuple épouvanté la foule fugitive
M'a laissé sans obstacle enlever ma captive,
Et regagner ces lieux, où bientôt nos amis...

L'édition de 1673 supprime ces deux passages ; mais le nom d'Andromaque figure encore dans la liste des personnages de cette scène.

Le vers 1532 fut modifié en 1676. Dans l'édition de 1668, on pouvait lire :

D'une mort, que les Grecs n'ont fait qu'exécuter.

Dans l'édition de 1668, Hermione ajoutait, à l'attention d'Andromaque (à la suite du vers 1564) :

Allons, Madame, allons. C'est moi qui vous délivre.
Pyrrhus ainsi l'ordonne, et vous pouvez me suivre.
De nos derniers devoirs allons nous dégager.
Montrons qui de nous deux saura mieux le venger.

Les différences entre les deux états du texte sont considérables ! En premier lieu, on constate que le texte initial était plus long, et donnait au rôle d'Andromaque une scène de plus, alors que, dans la version définitive, elle n'apparaît plus dans l'acte V. On voit aussi que, dans cette première version, Andromaque exprime de l'attachement pour Pyrrhus :

« Et, ce que n'avaient pu promesse ni menace,
Pyrrhus de mon Hector semble avoir pris la place. »

Cela modifie assez fortement les sentiments de haine, et les paroles de reproches et de refus, qu'elle a prodigués à Pyrrhus pendant tout le reste de la pièce. D'autre part, le rôle d'Hermione aussi apparaissait assez différent : elle délivrait Andromaque et l'incitait à contribuer, comme elle, à venger Pyrrhus.

Qu'est-ce qui conduit Racine à placer là cette scène, dans la première composition de sa tragédie ? Deux raisons, où l'on retrouve à la fois son respect des « lois » du genre tragique et son attrait pour les scènes de galanterie :

— respect des lois du genre : les théoriciens (les « savants ») disaient qu'il fallait qu'au dénouement le spectateur sache ce qu'il advenait de chacun des personnages, et que le meilleur pour cela, si le personnage n'était pas déjà mort, était qu'il vînt sur scène dire quel était son sort ; ainsi Racine faisait revenir Andromaque en scène pour montrer au spectateur ce qu'elle allait devenir ;

— souci du registre galant : les larmes supplémentaires d'Andromaque la rendaient plus pathétique, et Hermione, en la délivrant, montrait de la grandeur, de la noblesse d'âme ; cela pouvait plaire aux aristocrates.

Mais cette première version du dénouement avait deux inconvénients :

— un inconvénient psychologique, car la scène donnait à penser qu'Andromaque aurait pu aimer Pyrrhus, ce qui était ambigu, et, surtout, elle montrait une Hermione qui, au milieu de ses « fureurs », reprenait un instant son calme et cessait d'être jalouse d'Andromaque ;

— un inconvénient formel : dans sa première version, le dénouement était plus long, plus lent, moins « frappant ».

Cette variante révèle donc des aspects importants du travail de Racine : il a soin de chercher à bien s'adapter aux goûts du public, et il ne cesse de revoir ses textes, de les ajuster mieux, de les travailler plus en détail... Racine, ou le souci de la rigueur et de la qualité.

Poésie et diction théâtrale

La poésie ne réside pas seulement dans les images, ou dans la nature des choses évoquées dans un texte : elle tient tout autant, sinon davantage, à la disposition des mots, des rythmes, des sonorités. Cela est particulièrement important lorsqu'il s'agit de textes destinés à être dits et écoutés, et pas seulement à être lus en silence ; tel est le cas, évidemment, des œuvres théâtrales.

Racine a été reconnu dès son époque comme particulièrement habile dans la manière d'agencer ses rythmes, cadences, sonorités, et à créer par là des effets de sens. Il était un artiste du « beau vers », comme on disait alors. *Andromaque* donne de multiples exemples de sa virtuosité d'écriture ; en retour, mieux comprendre celle-ci permet de mieux saisir les nuances et richesses de sens de l'œuvre.

Racine metteur en mots et metteur en scène

En véritable homme de théâtre, Racine avait le souci de la représentation matérielle de ses œuvres. Il travaillait en étroite collaboration avec les acteurs, et leur indiquait comment il désirait que soient interprétés les rôles qu'il composait.

Il était lui-même doté d'une belle voix, et les leçons de diction de ses maîtres de Port-Royal avaient perfectionné ce talent. Des témoignages de l'époque disent que, quand il rédigeait une pièce, il aimait pouvoir « tester » les vers en les prononçant lui-même à haute voix (voir p. 13).

À ses acteurs, il demandait de jouer sur les contrastes, les nuances : le ton général de ses pièces est soutenu, mais contenu ; par moments, il s'adoucit au moyen d'euphémismes, ou par des jeux d'ironie ; à d'autres moments, il devient emporté, pouvant aller jusqu'à la frénésie. Racine, dit-on, expliquait cela à ses interprètes en leur indiquant « mot par mot » comment dire ses textes.

L'art des nuances et des contrastes

La tragédie appartient au registre que les hommes du XVIIᵉ siècle appelaient celui du « style soutenu » ; ils le distinguaient du style « moyen », et du style « bas », qui est celui par exemple de la comédie. L'utilisation de l'alexandrin, dans une pièce de théâtre, était alors une convention littéraire destinée à reproduire le langage « vrai » mais en le dotant d'une noblesse supplémentaire. Ainsi l'alexandrin employé dans la comédie faisait que celle-ci pouvait appartenir au style dit « bas », tout en étant nantie d'un caractère de politesse ; dans la tragédie, l'alexandrin permettait de passer alternativement par des moments de discours héroïques ou épiques, et des moments plus intimistes.

Dans l'usage qu'il fait de l'alexandrin théâtral, Racine se trouve dans la lignée de Pellisson, théoricien de l'esthétique galante contemporain de Racine, qui définissait ainsi la « grande poésie » :

« Si quelqu'un s'imagine que la grande poésie ne consiste qu'à dire de grandes choses, il se trompe. Elle doit souvent, je le confesse, se précipiter comme un torrent. Mais elle doit plus souvent encore couler comme une paisible rivière, et plus de personnes peut-être sont capables de faire une description pompeuse ou une comparaison élevée que d'avoir ce style égal et naturel qui sait dire les petites choses ou les médiocres sans bassesse, sans contrainte, et sans dureté » (*Discours sur les Œuvres de Sarasin,* 1656, rééd. in *l'Esthétique galante,* voir p. 222).

Racine est un poète de la nuance et du contraste, exprimant par moments des visions épiques (comme celle de la chute de Troie), par moments des visions d'horreur (comme celles de la folie), et à d'autres moments des visions tendres (quand Andromaque parle de son fils, par exemple), ou des visions émouvantes (quand la même Andromaque exhale sa plainte). Ce sont ces variations que, sous l'apparente monotonie de l'alexandrin, ses vers donnent à entendre, et ce sont elles que les acteurs, par leur diction, doivent rendre perceptibles pour les spectateurs.

On trouvera ci-dessous, à titre d'exemples, l'analyse de quelques vers relevant des différents registres.

Dire la plainte

Ce vers 301 que prononce Andromaque :
« Captive, toujours triste, importune à moi-même... »
donne un exemple, parmi tant d'autres, de la façon dont l'harmonie du style exprime un état d'esprit chez le personnage, donc crée, autant que le sens des mots, l'idée de cet état d'esprit pour le spectateur.

Les trois adjectifs par lesquels Andromaque se décrit sont rangés dans un ordre d'importance croissante. Importance croissante du point de vue du sens : le premier indique sa situation, le deuxième, son état ordinaire, le troisième, ce qu'elle éprouve intérieurement. Mais importance croissante du point de vue sonore également : le nombre de syllabes augmente régulièrement. Cette impression est accentuée par l'atténuation de la césure (le « e » muet de « triste » ne se prononce pas) et par la rime féminine (le vers se termine par un autre « e » muet, qui ne se prononce pas mais laisse la voix en suspens) qui allonge la sonorité finale du vers, laisse l'espace sonore ouvert.

En même temps, le jeu des sonorités crée, à l'intérieur du cadre ainsi défini, une gamme de nuances. Dans le premier hémistiche, les deux mots essentiels s'achèvent sur la même

205

sonorité aiguë, un « i » (captiv[e], trist[e]) ; en revanche, les consonnes sont fortement marquées par l'allitération en « t » (quatre fois) renforcé par le « r » (deux fois). Dans le second hémistiche, le même noyau consonantique revient (importune), en écho. Mais les sonorités vocaliques (les voyelles) sont cette fois des voyelles ouvertes, graves (« o », « a », « oi », « ê »).

Le vers est ainsi, dans son ensemble, lent (césure atténuée), régulier (il comporte quatre voyelles accentuées réparties à raison de deux par hémistiche), et, par sa mélodie, de plus en plus « grave ».

Ce n'est encore, là, qu'une analyse partielle, qu'on peut compléter en étudiant, entre autres, le changement de personne dans la syntaxe (Andromaque parle d'elle à la troisième personne, puis passe ici un instant à la première, « moi »), etc. Mais il suffit de repérer l'architecture générale du vers, et de mesurer ensuite quel contraste il forme avec le suivant :

« Captive, toujours triste, importune à moi-même,
Pouvez-vous souhaiter qu'Andromaque vous aime ? »

Dans le second, les sonorités vocaliques sont sourdes (prépondérance des « ou ») et les consonnes résonnent comme un souffle (« v », « s »).

Ainsi, l'incongruité de la demande d'amour faite par Pyrrhus est signifiée, autant que par le contraste des mots (« triste » / « aimer »), par le contraste des sonorités.

Dire la menace

Contraste, encore, entre de tels vers et d'autres où s'expriment des sentiments tout à fait opposés. Ainsi, dans la même scène (I, 4), la réaction de Pyrrhus se marque par la colère et la menace. Mais cette menace peut être manifestée de diverses manières, et, là aussi, Racine joue d'une gamme de nuances.

Pyrrhus utilise alternativement la menace directe et l'allusion, qui peut, par ses sous-entendus, être plus effrayante encore. Pour percevoir ces nuances, il n'est que de comparer deux vers de ce personnage où l'on retouve la même expression de base, le même mot (« songez »), et de voir leur différence de tonalité.

Pyrrhus commence ainsi :
« Songez-y bien : il faut désormais que mon cœur,
S'il n'aime avec transport haïsse avec fureur » (v. 367 - 368).
Les « r » et les « s » marquent, par leur entrechoquement, la tension du personnage et du propos.

Et il dit un peu plus loin :
« Madame, en l'embrassant, songez à le sauver » (v. 384).
Cette fois, le vers est plus lent, les accents y portent sur des voyelles qui se trouvent situées symétriquement par rapport à la césure (Madame, embrassant, songez, sauver), et les sonorités qui retiennent l'attention sont des voyelles, par l'effet de répétition du son « a » (Madame, embrassant, à le sauver). Pyrrhus a repris le ton de la politesse mondaine, mais le « Madame » en début de vers résonne, par les sous-entendus transparents qui suivent, non pas comme un signe de déférence, mais bien comme un ultimatum.

Dire la folie

À côté de moments où le ton est ainsi contenu, où le travail de Racine sur l'alexandrin consiste à jouer des nuances, il en est quelques autres, à la fin de la pièce, où le même vers lui sert pour représenter la rage et le délire. Ceux-là sont plus immédiatement perceptibles, plus faciles à repérer et à analyser.

Tels sont les vers où Hermione manifeste son égarement, au tout début du cinquième acte :
« Où suis-je ? Qu'ai-je fait ? Que dois-je faire encore ? »
(v. 1393). La figure de style des questions oratoires

s'accompagne de répétitions sonores (« q », « j ») qui scandent le propos et marquent l'extrême angoisse du personnage.

Tels sont encore, à la fin du même acte V, les vers où Oreste dit sa folie :
« Eh bien ! filles d'enfer, vos mains sont-elles prêtes ?
Pour qui sont ces serpents qui sifflent sur vos têtes ?
À qui destinez-vous l'appareil qui vous suit ? »
(v. 1637 à 1639). Ici, la répétition des mêmes sonorités a, à la fois, un effet d'insistance et un effet d'harmonie imitative (allitérations en « s » et « f », qui évoquent le sifflement des serpents).

À partir de ces quelques exemples, chacun au cours de ses lectures pourra relever et analyser bien d'autres cas. L'idée-clef qui se dessine est que, sous l'apparente régularité un peu solennelle de la versification « classique », le style racinien repose sur l'art de jouer des contrastes ainsi que de la variété des effets mélodiques dans le détail, pour enrichir les significations de ses œuvres.

Racine, *Andromaque* et la critique

Dès sa création, *Andromaque* a été à la fois un très grand succès et l'objet de polémiques. En particulier, la troupe de Molière monta une comédie d'un auteur nommé Subligny (1636 - 1696), intitulée *la Folle Querelle :* elle critiquait et parodiait la tragédie de Racine.

Par la suite, les diverses pièces de Racine, et l'ensemble de son œuvre, ont été très admirées, mais souvent matière à débats. La comparaison entre Racine et Corneille est au centre de la querelle des Anciens et des Modernes, qui agite la fin du XVIIᵉ siècle. Au début du XIXᵉ siècle, on compare Racine à Shakespeare, que les romantiques préfèrent... Et de nos jours, alors qu'il est reconnu comme le « classique par excellence », il y a eu une « querelle de la nouvelle critique » à son propos, sur la façon d'interpréter ses créations. Racine est donc un des « points sensibles » de la culture française ! On trouvera ici quelques échantillons de ces diverses prises de position (pour les compléter, voir p. 222).

Les premières représentations

[Le 17 novembre] Leurs Majestés eurent le divertissement d'une fort belle tragédie [*Andromaque*], par la Troupe Royale, en l'appartement de la Reine, où étaient quantité de seigneurs et de dames de la Cour.

Gazette de France, 19 novembre 1667.

J'ai vu la pièce, toute neuve,
D'Andromaque, d'Hector la veuve,
Qui, maint siècle après son trépas,
Se remontre, pleine d'appâts,

Sous le visage d'une actrice,
Des humains grande tentatrice,
Et qui, dans un deuil très pompeux,
Par sa voix, son geste et ses yeux,
Remplit, j'en donne ma parole,
Admirablement bien son rôle.
C'est Mademoiselle Du Parc,
Par qui le petit dieu Porte-Arc,
Qui lui sert de fidèle escorte,
Fait des siennes d'étrange sorte.
Pyrrhus la retient dans sa cour
Captive de guerre et d'amour...
Et ce Prince, qui la veuve aime,
Sans qu'il en soit aimé de même,
Est en relief représenté
Par cet acteur si fort vanté,
Qui souffre peu de parallèle,
Et lequel Floridor s'appelle.
Oreste, pire qu'un Fairfax,
Vient demander Astyanax...
Et cet Oreste frénétique,
Là personnage épisodique,
Est figuré par Montfleuri,
Qui fait mieux que feu Mondori.
D'autre part, certaine Hermione,
Autre épisodique personne,
Se trouve en la cour de Pyrrhus,
Qu'elle aime jusques aux rebus ; ...
[Résumé de l'intrigue]
Ainsi Pyrrhus est mis à mort
Par l'ordre de cette Hermione,
Qu'on voit agir en la personne
De l'excellente Des Œillets...
La catastrophe, la voici.
Pyrrhus étant occis ainsi,
Oreste, pensant qu'Hermione
Pour digne prix elle se donne,
N'en reçoit rien que des gros mots ; ...
Et lors, Oreste, furieux,

Attaquant la terre et les cieux,
Fait ce qu'on voit dans *Marianne*,
Que fait cet Hérode profane,
Après qu'il a fait sans pitié
Périr son illustre moitié
En un mot la pièce est jouée
(C'est chose de tous avouée),
Certes, à charmer le spectateur,
Ainsi que son heureux auteur,
Bien glorieux, on peut le dire,
D'avoir pu ce poème produire ;
Car, sans le flatter nullement
On ne peut voir assurément,
Ou du moins, je me l'imagine,
De plus beaux fruits d'une *Racine*...

Robinet, Lettre en vers à Madame, 26 novembre 1667.

Une tragédie qui tue ses acteurs ?

L'acteur Montfleury, qui jouait le rôle d'Oreste, mettait un tel emportement à interpréter la scène de la folie finale qu'au bout de quelques représentations il fut frappé d'une attaque d'apoplexie pendant le spectacle, et en mourut. Cela fit, on s'en doute, du bruit dans Paris... Et une publicité inattendue pour la pièce, dont le succès grandit encore.

[Mort de] Montfleury
Qui, d'une façon sans égale,
Jouait dans la Troupe Royale,
Non les rôles tendres et doux,
Mais de transport et de courroux,
Et lequel a, jouant Oreste,
Hélas ! joué de tout son reste.
Ô rôle tragique et mortel,
Combien tu fais perdre à l'Hôtel
En cet acteur inimitable !
C'est une perte irréparable...

Robinet, Lettre en vers à Madame, 17 décembre 1667.

Un écrivain contemporain imagine même les réflexions de Montfleury après sa mort. Il parle ici avec divers auteurs.

J'ai usé tous mes poumons dans ces violents mouvements de jalousie, d'amour et d'ambition... Qui voudra donc savoir de quoi je suis mort, qu'il ne demande point si c'est de la fièvre, de l'hydropisie ou de la goutte, mais qu'il sache que c'est d'*Andromaque*... Mais ce qui me fait le plus de dépit, c'est qu'*Andromaque* va devenir plus célèbre par la circonstance de ma mort, et que désormais, il n'y aura plus de poète qui ne veuille avoir l'honneur de crever un comédien en sa vie...

Gabriel Guéret, le Parnasse réformé, 1668.

Polémiques et critiques au XVIIe siècle

Quand la troupe de Molière joua la comédie qui parodiait *Andromaque, la Folle Querelle,* son auteur, Subligny, publia cette pièce avec une préface où il détaillait ses critiques contre Racine. Et où il le comparait à Corneille.

Le succès allait donc de pair avec des polémiques, et Racine ne faisait pas l'unanimité.

Ce n'est pas qu'en critiquant l'*Andromaque*, je me sois imaginé faire une chose qui dût m'obliger à me cacher ; c'est une petite guerre d'esprit qui, bien loin d'ôter la réputation à quelqu'un, peut servir un jour à la lui rendre plus solide, et il serait à souhaiter que la mode en vînt pour défendre les auteurs de la fureur des applaudissements, qui souvent, à force de leur persuader malgré eux qu'ils ont atteint la perfection dans un ouvrage, les empêchent d'y parvenir par un autre qu'ils s'efforceraient de faire avec plus de soin. Je fus charmé à la première représentation de l'*Andromaque* ; ses beautés firent sur mon esprit ce qu'elles firent sur ceux de tous les autres, et si je l'ose dire, j'adorai le beau génie de son auteur sans connaître son visage... Mais lorsque j'appris, par la suite du temps, qu'on voulait borner sa gloire à avoir fait l'*Andromaque*, et qu'on disait qu'il l'avait écrite avec tant de régularité et de justesse, qu'il fallait qu'il travaillât toujours de même pour être le premier homme du monde, il est vrai que je ne fus pas de ce sentiment. Je dis qu'on lui faisait tort, et qu'il serait capable d'en faire de meilleures... La France a intérêt de ne point arrêter au milieu de sa carrière un homme qui promet visiblement de lui faire beaucoup d'honneur. Elle devrait le laisser arriver à ce point de pureté de langue et de conduite du théâtre qu'il sait bien lui-même qu'il n'a pas encore atteint : car, autrement, il se trouverait qu'au lieu d'avoir déjà surpassé le vieux Corneille, il demeurerait toute sa vie au-dessous... Il y a dans l'*Andromaque* un nombre infini de ces petits péchés véniels... J'en ai compté jusqu'à près de trois cents. À cela près l'auteur d'*Andromaque* n'en est pas moins en passe d'aller un jour plus loin que tous ceux qui l'ont précédé, et s'il avait observé dans la conduite de son sujet de certaines bienséances qui n'y sont pas, s'il n'avait pas fait toutes les fautes qui y sont contre le bon sens, je l'aurais déjà égalé sans marchander à notre grand Corneille. Mais il faut avouer que si M. Corneille avait eu à traiter un sujet qui était de lui-même si heureux, il n'aurait pas fait venir Oreste en Épire comme un simple ambassadeur... Il aurait fait traiter Pylade en roi à la cour de Pyrrhus...; il aurait introduit Oreste, le traitant d'égal, sans nous vouloir faire accroire qu'autrefois le plus grand prince tutoyait le plus petit... Ce n'est pas les cérémonies des anciens rois qu'il faut retenir dans la tragédie, mais leur génie et leurs sentiments, dans lesquels M. Corneille a si bien entré qu'il en a mérité une louange immortelle, et qu'au contraire ce sont ces cérémonies-là qu'il faut accommoder à notre temps, pour ne pas tomber dans le ridicule... M. Corneille, dis-je, aurait rendu Andromaque moins étourdie... Il aurait conservé le caractère violent et farouche de Pyrrhus, sans qu'il cessât d'être honnête homme... et donnant moins d'horreur qu'il ne donne des faiblesses de ce prince, qui sont de pures lâchetés, il aurait empêché le spectateur de désirer qu'Hermione en fût vengée, au lieu de le craindre pour lui. Il aurait ménagé autrement la passion d'Hermione... Voilà ce que je crois que M. Corneille aurait fait, et peut-être qu'il aurait encore fait mieux. Le temps amène toute chose, et comme l'auteur d'*Andromaque* est jeune aussi bien que moi, j'espère qu'un jour je n'admirerai pas moins la conduite de ses ouvrages que j'admire aujourd'hui la noble impétuosité de son génie.

Subligny, *Préface de la Folle Querelle*, 1668.

À peine ai-je eu le loisir de jeter les yeux sur *Andromaque* et sur *Attila* ; cependant il me paraît qu'*Andromaque* a bien l'air des belles choses ; il ne s'en faut presque rien qu'il n'y ait du grand. Ceux qui n'entreront pas assez dans les choses l'admireront ; ceux qui veulent des beautés pleines y chercheront je ne sais quoi d'attrayant qui les empêchera d'être tout à fait contents. Vous avez raison de dire que la pièce est déchirée par la mort de Montfleury, car elle a besoin de grands comédiens qui remplissent par l'action ce qui lui manque ; mais, à tout prendre, c'est une belle pièce, et qui est fort au-dessus du médiocre, quoique un peu au-dessous du grand.

Saint-Évremond, *Lettre à M. de Lionne*, 1668.

Bajazet est beau ; j'y trouve quelque embarras sur la fin ; il y a bien de la passion, et de la passion moins folle que celle de *Bérénice* : je trouve cependant, selon mon goût, qu'elle ne surpasse pas *Andromaque*... Croyez que jamais rien n'approchera (je ne dis pas surpassera) des divins endroits de Corneille.

Mme de Sévigné, *Lettres*, janvier 1672.

La racine s'ouvrant une nouvelle voie
Alla signaler ses vertus
Sur les débris pompeux de la fameuse Troie,
Et fit un grand sot de Pyrrhus,
D'Andromaque une pauvre bête
Qui ne sait où porter son cœur,
Ni même où donner de la tête,
D'Oreste, roi d'Argos, un simple ambassadeur,
Qui n'agit toutefois avec le roi Pylade
Que comme un argoulet,
Et, loin de le traiter comme son camarade,
Le traite de maître à valet.

Barbier d'Aucour, *Apollon, vendeur de Mithridate*, 1675.

Au XIXᵉ siècle, les vues se nuancent

Racine a donné aux marquis de la cour de Louis XIV une peinture des passions, tempérée par l'extrême dignité qui était alors de mode, et qui faisait qu'un duc de 1670, même dans les épanchements les plus tendres de l'amour paternel, ne manquait jamais d'appeler son fils : *monsieur*.

C'est pour cela que le Pylade d'*Andromaque* dit toujours à Oreste : *seigneur ;* et cependant quelle amitié que celle d'Oreste et de Pylade !

Stendhal, Racine et Shakespeare (chap. III), 1823.

Tout ce qu'il y a de dévouement dans l'épouse, de tendresse dans la mère, Racine en a doué Andromaque. Mais il a voulu en même temps que la belle et aimable fille d'Eétion, l'Andromaque aux bras blancs, fût femme, et qu'elle n'ignorât pas la puissance de sa beauté. Elle s'en sert pour se défendre et pour protéger son fils ; c'est de sa vertu même qu'elle apprend l'influence de ses charmes et que lui vient la pensée d'en user. J'appellerais cela une coquetterie vertueuse, si la plus noble de toutes les épithètes pouvait relever le mot de coquetterie. Le détail en est exquis ; c'est la partie la plus touchante du rôle d'Andromaque.

D. Nisard, Histoire de la littérature française, 1844-1861.

Critique moderne : divergences d'interprétation

De nos jours, on ne discute plus de la qualité des œuvres de Racine. Mais les façons de les interpréter peuvent encore donner lieu à de fortes divergences. Cela se perçoit aussi bien dans les recherches des mises en scène au théâtre que dans les travaux des critiques.

Voici un exemple de mise en scène, celle de Pierre Dux à la Comédie-Française en 1964, dont la façon de comprendre l'œuvre a été matière à discussion.

Ce spectacle, avant d'être donné à Paris, fut présenté au cours d'une tournée en U.R.S.S. Le décor est réduit à un minimum, afin de laisser toute la place au texte : un plateau nu, où une esquisse de spirale à degrés dessine un lieu scénique en forme d'ove. Les costumes évoquent de façon très conventionnelle l'Antiquité, avec une convention tout aussi manifeste des teintes (la sombre Hermione, la claire Andromaque). L'ouverture se fait sur des sonneries de trompette. On joue sans entracte : à la fin de chaque acte, un spot isole le personnage qui dit la dernière réplique et un changement d'éclairage fait l'enchaînement avec l'acte suivant. Le jeu et la diction sont proches de la « comédie bourgeoise » : chaque fois qu'Oreste exprime son amitié pour Pylade, il pose la main sur son bras ou son épaule. Pour le salut final, le rideau se relève sur les quatre protagonistes, qui se tiennent tournés chacun vers celui qu'il poursuit de son amour (la célèbre « chaîne »). Cette mise en scène eut un accueil mitigé.

Alain Viala, Racine, théâtre complet, Garnier, 1980.

Parmi les critiques, diverses approches sont en concurrence. Certaines empruntent à la psychanalyse des notions qu'elles appliquent à la tragédie.

Le regard racinien est une avidité malheureuse. La satisfaction lui est toujours refusée ; il reste inassouvi. Ce n'est pas sans raison que Racine a repris aux Anciens cette métaphore viscérale : « se rassasier d'une si chère vue ». Mais la satiété est impossible. Les yeux cherchent les yeux, et même lorsqu'ils obtiennent la réponse attendue, quelque chose manque. Il faut regarder encore, retourner à cette trompeuse pâture, poursuivre un bonheur qui n'achève jamais d'être conquis. Il faut que les amants se voient et se revoient sans cesse. Les voici liés à la servitude de la **répétition** : recommencement infini, réassurance fragile. Leur bonheur a quelque chose d'une interminable agonie.

Jean Starobinski, l'Œil vivant, Gallimard, 1968.

216

Roland Barthes entreprend de constituer cette « tragédie essentielle » — méthode vivement critiquée par R. Picard (voir p. 222) — et d'en étudier les figures et les situations en recourant à un vocabulaire psychanalytique.

Il esquisse ensuite une dramaturgie organisée autour d'une « relation fondamentale » :

> Que l'on fasse des onze tragédies une tragédie essentielle, que l'on dispose dans une sorte de constellation exemplaire cette tribu d'une cinquantaine de personnages tragiques qui habitent la tragédie racinienne, et l'on y retrouve les figures et les actions de la horde primitive : le père, propriétaire inconditionnel de la vie des fils (Amurat, Mithridate, Agamemnon, Thésée, Mardochée, Joad, Agrippine même) ; les femmes, à la fois mères, sœurs et amantes, toujours convoitées, rarement obtenues (Andromaque, Junie, Atalide, Monime) ; les frères, toujours ennemis parce qu'ils se disputent l'héritage d'un père qui n'est pas tout à fait mort et revient les punir (Étéocle et Polynice, Néron et Britannicus, Pharnace et Xipharès) ; le fils enfin, déchiré jusqu'à la mort entre la terreur du père et la nécessité de le détruire (Pyrrhus, Néron, Titus, Pharnace, Athalie). L'inceste, la rivalité des frères, le meurtre du père, la subversion des fils, voilà les actions fondamentales du théâtre racinien [...]
>
> Le rapport essentiel est un rapport d'autorité, l'amour ne sert qu'à le révéler. Ce rapport est si général, si formel pourrait-on dire, que je n'hésiterai pas à le représenter sous l'espèce d'une double équation :
>
> A a tout pouvoir sur B
> A aime B qui ne l'aime pas.

Roland Barthes, Sur Racine, le Seuil, 1963.

Lucien Goldmann, en revanche, considère qu'*Andromaque* n'est pas pleinement une tragédie :

> Andromaque annonce Phèdre, mais l'annonce seulement car elle n'est jamais prise elle-même par l'illusion de pouvoir vivre dans le monde et de se réconcilier avec lui. Ce qu'elle espère

seulement réaliser par sa ruse, ce sont les conditions qui rendraient son refus, non seulement grand, mais aussi **efficace**, la faisant triompher **matériellement** du monde à l'instant même où elle serait écrasée.

C'est pourquoi Andromaque, tout en approchant de très près l'univers tragique, n'y est cependant pas entrée. La différence est sans doute minime, mais elle existe et dans le monde de la tragédie les différences minimes pèsent autant que les différences les plus grandes. Il n'y a pas, il ne peut pas y avoir d'approche progressive entre l'apparence et l'essence, entre la ruse et la vérité.

Nous avons d'ailleurs un indice du fait que Racine a senti lui-même cet ensemble de problèmes : c'est la différence entre le premier dénouement de l'édition de 1668 et celui des éditions d'après 1673.

Lucien Goldmann, le Dieu caché, Gallimard, 1959.

Avant ou après la lecture

Le mieux, bien sûr, est d'aller voir *Andromaque* sur scène, si une représentation en est donnée (il y en a assez souvent). Mais on peut aussi développer divers autres travaux (jusque et y compris concevoir une mise en scène de la pièce, et la jouer).

Recherches d'ordre littéraire

La tragédie

1. Lire une ou quelques tragédies grecques ; lire une ou quelques tragédies du XVIIe siècle, de Corneille en particulier, mais d'autres également (voir les trois volumes du *Théâtre du XVIIe siècle* dans la coll. Pléiade, Gallimard).

Faire des comparaisons : chercher quels éléments sont constants, et lesquels varient (thèmes, présence d'un chœur, etc.).

2. Comparer aussi avec des tragédies du XXe siècle : *les Mouches* de J.-P. Sartre (voir p. 193), *La guerre de Troie n'aura pas lieu* de J. Giraudoux, par exemple.

Le monde mythologique et la guerre de Troie

1. Lire *l'Iliade* et *l'Énéide* (au moins les passages indiqués dans la Documentation thématique, p. 178 à 189).

2. Construire les arbres généalogiques des Atrides, d'Achille et de Pyrrhus ; voir jusqu'à quelle génération la malédiction poursuit les Atrides. Chercher des œuvres qui ont été inspirées par ce thème.

3. Comparer entre elles ces diverses légendes.

4. Chercher, dans la culture d'aujourd'hui, des noms tirés de la mythologie et qui désignent des réalités modernes (ex. : la fusée Ariane).

5. Rechercher des expressions d'origine mythologique encore employées aujourd'hui (ex. : « être d'un calme olympien ») et expliquer leur sens actuel.

La « galanterie »

1. Chercher, dans divers dictionnaires, tous les sens qu'a pu avoir ce mot.

2. Comparer avec d'autres œuvres du XVIIᵉ siècle où le mot « galant » est très employé ; en particulier chez Molière *(les Précieuses ridicules, le Misanthrope).* Quels traits communs peut-on distinguer ? et quels usages différents ?

3. Chercher l'origine du mot « classique » dans le sens où il est appliqué à des œuvres comme celles de Racine. Comparer avec la définition de la galanterie (voir p. 226).

Réalisations plastiques et jeu dramatique

1. Relever, au cours de la lecture, les didascalies que contient le texte. Voir quels jeux de scène, déplacements, tons, gestes, elles appellent.

2. En arts plastiques et en E.M.T., concevoir (et si possible réaliser) des costumes et décors pour la pièce.

3. Après une lecture d'ensemble de la pièce, établir la diction qu'exigent quelques tirades marquantes.

Expression écrite

1. Choisir un des personnages principaux, et en faire le portrait physique et moral ; indiquer aussi son costume et ses attitudes les plus fréquentes.

2. Réécrire en français moderne un des passages « galants » de la pièce. Quels effets sont alors perdus ? Quels mots d'aujourd'hui semblent possibles ou impossibles à employer ?

3. Imaginez le monologue d'Andromaque quand elle se rend sur le tombeau d'Hector.

4. Et si Oreste avait assumé son rôle d'ambassadeur sans essayer de manœuvrer : qu'aurait-il dit à Pyrrhus ?

5. Relever les passages qui évoquent la fatalité. Quels sont ceux qui sont le plus souvent mis en cause : les dieux ou les ancêtres ? pourquoi ?

6. Envie et jalousie.

a) Les notions : chercher les mots « envie » et « jalousie » dans des dictionnaires. Quelles sont les ressemblances et les différences entre leurs sens ? Y a-t-il dans *Andromaque* des personnages qui semblent plutôt frappés d'envie ? lesquels ? de jalousie ? lesquels ?

b) Un thème : chercher d'autres œuvres fondées sur le thème de la jalousie, dans la littérature française et dans les littératures étrangères (anglaise, par exemple). Ce sujet est-il fréquent ? A-t-il des constantes ?

c) Dissertation : le théâtre vous semble-t-il pouvoir jouer réellement un rôle de *catharsis* face à des passions telles que la jalousie ?

Bibliographie

Édition

Racine, théâtre complet, annoté par J. Morel et A. Viala, Bordas, coll. « Classiques Garnier », 1980. On pourra consulter notamment le « Dossier » final à propos des mises en scène d'*Andromaque* et des querelles de critiques.

Racine, sa carrière, son esthétique

R. Barthes, *Sur Racine,* le Seuil, 1963 (rééd. en coll. « Points Seuil »).

L. Goldmann, *le Dieu caché,* Gallimard, 1959.

M. Gurwirth, *Jean Racine, un itinéraire poétique,* Klincksieck, 1970.

C. Mauron, *l'Inconscient dans l'œuvre et la vie de Racine,* Ophrys, 1957.

R. Picard, *la Carrière de Jean Racine,* Gallimard, 1961.

A. Viala, *Racine, la stratégie du caméléon,* Seghers, 1990.

Milieu littéraire et genre tragique

P. Bénichou, *Morales du Grand Siècle,* Gallimard, 1948 (rééd. en coll. « Folio essais »).

J. Morel, *la Tragédie,* A. Colin, 1964.

J. Truchet, *la Tragédie classique en France,* P.U.F., 1975.

A. Viala, *Naissance de l'écrivain,* Éditions de Minuit, 1985.

A. Viala (sous la direction de), *l'Esthétique galante,* Société de littérature classique (Toulouse), 1990.

Ce que Racine est devenu dans l'histoire...

J.-J. Roubine, *Lectures de Racine,* A. Colin, 1971.

Petit dictionnaire pour commenter *Andromaque*

acteur *(nom masc.)* : en français moderne, personne qui joue un rôle ; en français classique, ce mot s'employait pour désigner ce que nous appelons aujourd'hui les « personnages » d'une pièce de théâtre.

action *(nom fém.)* : ce qui se passe dans une pièce, l'enchaînement des événements.

adversatif *(adj.)* : désigne un mot qui marque une opposition. Ex. : la conjonction « mais ».

alexandrin *(nom masc.)* : vers de douze syllabes ; il comporte en général une coupure (ou césure) en son milieu, qui le divise en deux hémistiches.

allitération *(nom fém.)* : sonorités semblables reprises dans des mots ou expressions qui se succèdent. Ex. : « Pour qui sont ces serpents qui sifflent sur vos têtes ? » (v. 1638).

allusion *(nom fém.)* : manière de s'exprimer pour évoquer une personne, une chose ou une idée sans la désigner explicitement (l'allusion est une figure de rhétorique). Ex. : au vers 417, Cléone fait allusion à Oreste en employant le pronom indéfini « on », quand elle dit à Hermione : « on vous adore ».

antithèse *(nom fém.)* : façon de s'exprimer qui met en rapport deux idées, expressions ou mots de sens opposé. Ex. : au vers 368, « aime avec transport », qui évoque un sentiment positif, s'oppose à « haïsse avec **fureur** » qui en est l'inverse, le négatif.

bienséance *(nom fém.)* : en français classique **(mais le** mot s'emploie encore de nos jours), il s'agit **du respect** des règles du bon goût, de la politesse, de **la vie en** société, de manière à éviter de choquer.

caractère *(nom masc.)* : en français classique, **désigne les** usages et manières de se comporter des **personnages**, en fonction de leur situation historique **et de leur** position sociale, plus que leurs traits **psychologiques** (contrairement au sens usuel du français **moderne)**.

catharsis *(nom fém.)* : mot grec, qui désigne la **théorie** selon laquelle la tragédie doit provoquer **chez le** spectateur de fortes émotions de terreur **et de pitié**, afin que, s'en étant ainsi « purgé » en s'identifiant **aux** personnages fictifs, il en soit moins troublé **dans sa vie** réelle.

confident *(nom masc.)* : dans une pièce de **théâtre, et** en particulier dans une tragédie, personnage **secondaire** qui accompagne un protagoniste et jouit **de sa** confiance : leurs dialogues permettent d'**informer le** public des pensées et sentiments du protagoniste. **Ex.** = Céphise est la confidente d'Andromaque.

crise *(nom fém.)* : moment décisif, brève **période de** temps où les tensions sont portées à leur point **le plus** fort.

démence *(nom fém.)* : folie, perte de la raison.

dénouement *(nom masc.)* : aboutissement, façon **dont se** conclut une pièce de théâtre, issue des conflits **qui y** ont été représentés.

didascalie *(nom fém.)* : indication de jeu de scène, ou de décor, donnée par l'auteur. Il existe des didascalies explicites, généralement indiquées en italique ou entre parenthèses ; mais il existe aussi des didascalies implicites : ce sont alors les mots prononcés par les personnages qui indiquent un mouvement, une attitude, l'utilisation d'un accessoire, etc.

dissimulation *(nom fém.)* : comportement consistant à cacher ses vraies pensées ou ses vrais sentiments.

dramatique *(adj.)* : 1. en français classique, désigne tout ce qui se rapporte au théâtre ; 2. en français moderne, a pris aussi le sens de : dangereux, triste, effrayant.

dramaturgie *(nom fém.)* : art d'écrire des pièces de théâtre.

enjeu *(nom masc.)* : ce pour quoi se fait l'action ; but que les héros poursuivent, ou objet qu'ils tentent d'atteindre. Ex. : la vie ou la mort d'Astyanax sont un enjeu d'*Andromaque*.

épique *(adj.)* : concerne ce qui se rapporte aux exploits accomplis par de grands héros.

épopée *(nom fém.)* : genre littéraire, long poème qui raconte les exploits des héros et où, en général, les divinités interviennent pour orienter le sort des humains.

équivoque *(nom fém.)* : figure de style. Voir « sens propre/sens figuré ».

esthétique *(adj. ou nom fém.)* : qui concerne le sentiment du beau, la façon de concevoir la beauté.

euphémisme *(nom masc.)* : façon de parler qui adoucit ce que l'on a à dire, qui minimise (l'euphémisme est une figure de rhétorique). Ex. : au vers 313, Pyrrhus dit seulement « J'ai fait des malheureux », pour évoquer la façon dont il a détruit la cité de Troie.

exposition *(nom fém.)* : acte ou scène(s) qui, au début d'une pièce, donne(nt) au spectateur les informations nécessaires pour qu'il identifie les personnages et comprenne l'action.

figure de rhétorique (ou « de style ») : mot ou expression qui, au lieu de dire les choses de la façon la plus simple et directe, prend une forme détournée, de façon à ajouter une nuance de sens.

force agissante : tout personnage, ou toute réalité (sentiment, idéal...) qui contribue (en cherchant à atteindre un but, ou en aidant celui qui le tente, ou en s'y opposant) au déroulement de l'action. Ex. : la jalousie (d'Oreste, d'Hermione) est une force agissante dans *Andromaque.*

galanterie *(nom fém.)* : attitude esthétique de l'époque de Louis XIV, qui mettait en avant la finesse des manières, ou des façons de s'exprimer, en particulier dans les rapports entre hommes et femmes (voir le Petit lexique p. 37).

harmonie imitative : manière de composer un vers en jouant sur les sonorités, de telle façon que la sonorité d'ensemble évoque l'objet, l'être ou l'idée dont on parle. Ex. : au vers 1638, les sonorités évoquent le sifflement des serpents :

« Pour qui sont ces serpents qui sifflent sur vos
[têtes ? »

hémistiche *(nom masc.)* : moitié d'un alexandrin.

héroïque *(adj.)* : désigne les exploits accomplis par les

226

héros. Le sens s'est étendu ensuite aux actions remarquables de ces personnages.

héros, héroïne *(nom)* : les héros étaient, dans la mythologie, de grands personnages, rois, reines et souvent demi-dieux (nés d'un être humain et d'une divinité). Le sens s'est étendu ensuite à tout personnage principal d'une œuvre littéraire.

ironie *(nom fém.)* : figure de style par laquelle on dit une chose pour faire comprendre qu'on pense le contraire. Ex. : au vers 552, quand Hermione dit à Oreste : « Jugez-vous que ma vue inspire des mépris », elle sait très bien qu'Oreste pense le contraire et en fait elle affirme qu'elle est digne d'être aimée.

ironie tragique : procédé fréquent par lequel un auteur fait dire ou faire à des personnages des mots ou des actions qui auront un résultat contraire de celui qu'ils espèrent.

lamento *(nom masc.)* : poème ou discours (parfois chanté) par lequel un personnage exprime une plainte.

laudatif *(adj.)* : élogieux.

métaphore *(nom fém.)* : figure où l'on emploie un mot à la place d'un autre, avec lequel il a un rapport de sens ; la métaphore se fonde sur une comparaison sous-entendue. Ex. : « feu » est une métaphore amoureuse, qui sous-entend que « l'amour est comme un feu ».

monologue *(nom masc.)* : moment où un personnage parle seul sur scène (par convention, il est censé se parler à lui-même, réfléchir à haute voix sur ses sentiments, ses idées, etc.).

mythe *(nom masc.)* : un mythe est un récit dans lequel

on relate des faits fictifs mais qui font l'objet d'une croyance.

mythologie *(nom fém.)* : ensemble des mythes d'une civilisation.

nœud de l'action : moment où les événements sont liés entre eux, où chaque décision d'un personnage ne peut qu'avoir des conséquences sur l'ensemble de l'action et en orienter le dénouement.

oratoire (art) : l'art oratoire est la manière de bien parler, de bien composer et de bien prononcer ses propos.

pastorale *(nom fém.)* : genre littéraire des XVIe et XVIIe siècles, qui avait pour personnages des bergers (des « pasteurs » ; en fait, il s'agissait souvent de princes déguisés en bergers), et pour sujet leurs intrigues amoureuses. Ce genre était apprécié des nobles à l'époque de Racine.

pathétique *(adj.)* : qui trouble, ou qui est troublé, par une agitation intérieure profonde et douloureuse.

péjoratif *(adj.)* : qui dénigre, qui déprécie ; contraire de laudatif.

péripétie *(nom fém.)* : au sens propre, moment où survient un élément nouveau et imprévu, qui fait basculer la situation des personnages ; retournement soudain de situation.

protagoniste *(nom masc.)* : celui qui agit au premier plan, personnage principal.

question oratoire : figure de rhétorique, où l'on présente sous la forme interrogative une idée qu'en fait on tient à affirmer. Ex. : au vers 850, Hermione affirme qu'elle est transportée de joie en posant la question : « Conçois-tu les transports de l'heureuse Hermione ? »

rebondissement *(nom masc.)* : conséquence inattendue d'un événement, qui a pour effet de relancer l'action.

récit *(nom masc.)* : 1. manière de raconter une histoire (sens général) ; 2. dans une pièce de théâtre, moment où un personnage raconte un événement qui s'est déroulé hors de la scène.

règles dramatiques : il s'agit des principes des trois « unités » (de lieu, de temps, d'action), de bienséance et de vraisemblance, que les théoriciens, les auteurs de théâtre de l'époque classique, et le public avaient en général adoptés et tenaient pour « normaux ».

réplique *(nom fém.)* : tout propos que prononce un personnage, quelle qu'en soit la longueur.

revirement *(nom masc.)* : tout changement soudain d'opinion d'un personnage, et ses conséquences.

rhétorique *(nom fém.)* : la rhétorique, ou « art du discours », était une discipline qui enseignait comment trouver ses idées sur le sujet dont on avait à traiter, comment les ordonner selon un plan, et comment utiliser les figures de style pour les exprimer efficacement.

romanesque *(adj.)* : 1. qui appartient au roman ; 2. plus généralement, qui appartient à une fiction riche de surprises ; *Andromaque* est une tragédie à certains égards « romanesque ».

sens propre / sens figuré : le sens « propre » utilise un mot dans sa signification usuelle et normale, le sens « figuré » lui donne une signification métaphorique. Ex. : vers 315 - 316, « yeux » est employé au sens propre quand il est question des larmes que verse Andromaque, et au sens figuré quand les yeux désignent la beauté. Lorque le sens propre et le sens figuré sont utilisés dans une même phrase, cela crée une figure de style appelée « équivoque ».

séquence *(nom fém.)* : scène ou groupe de scènes (et tout fragment d'une œuvre) correspondant à un état précis de la situation.

structure *(nom fém.)* : 1. organisation des diverses parties d'un ensemble ; 2. agencement des séquences d'une pièce.

suspens *(nom masc.)* : moment où l'action s'interrompt, laissant le spectateur dans l'incertitude, lui faisant attendre avec impatience ou inquiétude la suite des événements.

synecdoque *(nom fém.)* : figure de style consistant à désigner un ensemble par un seul de ses éléments. Ex. : « vos yeux » pour dire « la beauté de votre personne » (vers 315).

tirade *(nom fém.)* : longue réplique ininterrompue d'un personnage.

tragédie *(nom fém.)* : la tragédie est un genre littéraire (en cinq actes et en vers à l'époque classique, mais qui a eu d'autres formes à d'autres moments) qui met en scène de grands personnages (rois, princes, reines, héros, etc.), qui porte sur un sujet grave, et qui se termine souvent par des morts, et toujours, en tout cas, par un dénouement où les personnages souffrent profondément (en sombrant dans la folie, par exemple).

tragique *(adj. ou nom masc.)* : qui concerne la tragédie.

On dit « le tragique » pour exprimer un sentiment général de l'existence où la souffrance et l'idée de fatalité dominent.

trois unités : règle du théâtre classique selon laquelle une pièce ne doit développer qu'un seul sujet (unité d'action), doit se dérouler dans un lieu unique (unité de lieu) et ne pas excéder vingt-quatre heures (unité de temps).

vraisemblance *(nom fém.)* : qualité de ce qui « semble vrai », qui est acceptable comme tel, même si cela n'est pas strictement vrai. Voir « règles dramatiques ».

Collection fondée par Félix Guirand en 1933, poursuivie par Léon Lejealle de 1945 à 1968 puis par Jacques Demougin jusqu'en 1987.

Nouvelle édition

Conception éditoriale : Noëlle Degoud.

Conception graphique : François Weil.

Coordination éditoriale : Emmanuelle Fillion et Marie-Jeanne Miniscloux.

Coordination de fabrication : Marlène Delbeken.

Documentation iconographique : Nicole Laguigné.

Schéma p. 16-17 : Thierry Chauchat et Jean-Marc Pau.

Dessin p. 15 : Jean-Marc Pau.

Carte p. 34-35 : Laurent Faye.

Sources des illustrations

Agence de Presse Bernand : p. 61, 68, 81, 124, 127, 132, 146, 160.
Anderson-Giraudon : p. 187.
Anderson-Viollet : 181.
Bulloz : p. 5, 6, 12, 161.
Giraudon : p. 30, 164.
Hachette : p. 51.
Harlingue-Viollet : p. 40.
Larousse : p. 28.
Lauros-Giraudon : p. 21.
Musée de la Poste : 96.
Roger-Viollet : p. 119.
Roger-Viollet, collection Viollet : p. 9.

COMPOSITION : SCP BORDEAUX.
IMPRIMERIE HÉRISSEY. — 27000 ÉVREUX. - N° 71773.
Dépôt légal : Septembre 1990. — N° de série Éditeur : 18898.
IMPRIMÉ EN FRANCE *(Printed in France).* 871400 O-Janvier 1996.